JN107364

JACQUES ATTALI

LE MONDE, MODES D'EMPLOI

COMPRENDRE , PRÉVOIR , AGIR, PROTÉGER

ジャック・アタリ

林昌宏 訳

世界の取扱説明書

理解する／予測する／行動する／保護する

プレジデント社

JACQUES ATTALI

LE MONDE, MODES D'EMPLOI

COMPRENDRE, PRÉVOIR, AGIR, PROTÉGER

「君主に服従しても私には何の利益もないのに、
君主は私が服従することを望んでいるのだろうか」

――『ペルシア人の手紙』の「手紙七六」
シャルル・ド・モンテスキュー

親愛なる日本の読者へ

二〇五〇年の世界は、どうなっているのだろうか。本書において私は、今日までにわかっていることに加えて、自身の数十年にわたる考察から、この疑問に答える。

本書では、世界各地の文明、言語、文化、生活様式の未来も予測する。私は日本の未来について強い関心を抱いている。というのも、日本に深い愛着を覚えているからだ。日本の読者がこれまでの著書を通じて私の理念や未来予測に触れてくれたことを、大変光栄に感じている。

日本は、二〇〇〇年の歴史を持つ文化を守り抜いた稀有な国だ。とくに過去一世紀半、自国の価値観と伝統を近代に見事に調和させてきた。日本の未来はどうなるのだろうか。

本書で述べたように、日本も全人類を脅かす危機から免れない。すなわち、気候変動、超紛争、世界の人工化だ。

だが、日本特有の危機もある。過去の戦争に関して、日本は隣国と完全な和解に至っていない。また、日本の少子高齢化は深刻であり、社会のあらゆる場面において女性の地位が低く、外国人の活躍の場が（外国と比較して）少なすぎる。

しかしながら、これらの日本特有の特徴は変化しつつある。今日、日本の経済界や社会では、重要なポストで活躍する女性や外国人の姿を多く見かけるようになった。こうした傾向は、外国の重要なポストで活躍する日本人の男女が増えたのと同様だ。

私は幼いころから、日本の文化、文学、映画、食、芸術に魅了され、日本を訪れるたびに深い感銘を受けている。私は、日本がこれらの問題を解決し、自国の天然資源に見合った水準で人口バランスを取り戻し、「命の経済」への転換（その詳細は本書に記した）の先導国になると確信している。国民が迫りくる難題に明晰さと勇気をもって立ち向かうと同時に多様性と寛容の精神を育むのなら、日本は未来においても主要な文明であり続けるだろう。本書で提示する概念は、私が日々参考にする日本のさまざまな哲学思想に通じるものだ。

本書が、日本の親愛なる読者が私生活や祖国のために正しい選択をする際の一助になれば幸いだ。

目次

◎本文内における〔　〕は、翻訳者における補足である。

◎読みやすさ、理解のしやすさを考慮し、原文にはない改行を適宜加えた。

はじめに

己の出自から逃れることはできるのか。自分の将来を占うことはできるのか。自身の将来をよりよくするには、何をすればよいのか。資産をどのように管理すればよいのか。日々の生活費や仕事は、どうなるのか。将来、自分はどんな仕事に就くことができるのだろうか。自分は、自身にも関係する社会の重要な選択に影響をおよぼすことができるのだろうか。自分の子供は、自分と同じかそれ以上に豊かな暮らしを送ることができるのだろうか。

さらには、次のような疑問もある。

世界を本当に動かしているのは誰なのか。人類は地球では暮らせなくなるのだろうか。格差社会と富の偏在は不可避なのか。女性は今後も男性の支配に苦しむのだろうか。世界各地の中産階級は、技術革新とグローバル化によって一掃されてしまうのだろうか。いつになったら、現在の危機から抜け出せるのだろうか。どれだけ稼ぐかが成功の尺度なのだろうか。近年の危機時と同様、国家はすべてを債務によって賄い続けることができるのだろうか。熾烈な競争とグローバリゼーションは、善なのか悪なのか。インフレ、失業、公的債務を正しく理解して管理するには、どうしたらよいのか。デジタル技術やバイオテクノロジーの飛躍的な発展は、人類にどのような影響をもたらすのか。今後の三〇年間、気候、健康、仕事、芸術、娯楽、政治、科学、道徳、イデオロギー、価値観、愛情、欲望などについて、われわれは何を望み、何を恐れるのだろうか。宗教は、社会の発展の障害物であり続けるのだろうか。人類は、己の愚かさによって絶滅する運命にあるのだろうか。人類全員が解放されて、仲よく暮らす世界へと至る道筋はあるのだろうか。経済成長は、一刻も早く断念すべきなのだろうか。世界政府は、すぐにでも必要なのだろうか。

これらの疑問に答えを見出せず、戸惑う人は大勢いるかもしれない。なぜなら、世界の仕組みに関する教育が不充分だからだ。低賃金できつい仕事に喘ぐ人々がいる一方で、大した努力もせずに大金を手にする人々がいるのはなぜか。生活水準が上昇し続ける国がある一方で、急落する国があるのはなぜか。通貨の原理とは何か。貧困層が借金をすると生活が崩壊するのに、国や富裕層は何の代償もなく無制限に借金できるのはなぜか。危機によって、数十年間の努力が数ヵ月で台無しになるのはなぜか。現在の経済成長は社会に資するどころか、大きな損害をもたらすのはなぜか。人類史上最強になったと思われるわれわれが、過去の行いや計画によって絶滅の危機に瀕しているのはなぜか。市場と国家、さらには世界を本当に支配しているのは誰なのか。世間では、これらの疑問についてほとんど語られていない。

これらの疑問に対する回答を見つけ、行動を起こすには、質の高い情報源を持つ必要がある。すなわち、経済、政治、文化、環境、地政学、社会のメカニズムを正確に把握し、精度の高い予測術を身につけることだ。ところが、現状はまったく異なる。ほとんどの人は、要約された情報、フェイクニュース、稚拙な教義、誤った理論の洪水に溺れた状態にある。

しかしながら、少なくとも一万年以上前から、大勢の者たちは農業の収穫量を正確に予測しようと取り組んできた。さらには、モノ、仕事、貨幣、時間の価値の推移、自然保護、平和維持、暴力の制御、そして家族、企業、都市、国、外交の管理も予測の対象にしてきた。

これらの詳細な予測は、三〇〇〇年以上前の中国、インド、バビロニアの文書や旧約聖書に見出すことができる。これらの文書には、正しい農業経営、資本の最適な配分、合理的な債務、効率的な労働組織、不動産の公正な所有形態、土地、森林、水資源の持続可能な管理、公正な労働分配率、収益をもたらす交易条件などが詳述されている。

もう少し後の時代、古代ギリシアのアリストテレスは、使用価値（モノを何に使うか）と交換価値（モノにいくら払うか）の相違を指摘した。さらに後の時代、ジェノヴァ人は支出と収入を比較する会計手法を発明した。そして、貨幣、国庫、銀行制度の機能が理論化された。

近年では、「経済学者」と呼ばれる新たな専門家の一部は、物理学や化学を模倣して、経済学の分野だけで通用する概念と法則（いつでもどこでも有効という仮定）によって、人間社会のあらゆる側面を叙述できると豪語した。彼らは、このような経済法則を打ち立てる際に「誰もが合理的に行動する」という素朴な仮定に依拠した。一方、「社会の力学は力関係（とくに財力）によってのみ決定される」という考えを抱く者もいた。

前者の一部の経済学者にとって人間は、合理的で調和のとれた需給バランスを常に探求する存在だ。後者にとって労使は、労働の産物の分配をめぐる対立関係にある。その結果、社会はいつも不均衡な状態に置かれ、利害の両立不能という矛盾によって衰退を余儀なくされる。また、力学や熱力学をヒントにする経済モデルもある。

これらの「経済学者」は、疑似科学を入念につくり上げることによって、自分たちの影響力を正当化できると信じてきたし、現在もそう信じている。彼らの理論は多面的であるため大勢の人々が魅了され、豊かであるため、偽(にせ)のノーベル賞〔ノーベル経済学賞〕さえ設立された。彼らは、学術っぽさを醸し出すために威圧的な数理モデルを駆使する。今日、経済学は世界中の大学で教えられており、経済指標は過去を解説し、未来を読み解くための不可欠な要素になっているようだ。

しかしながら、物理学、化学、宇宙物理学と異なり、社会現象に対し、経済理論によって、いつでもどこでも有効で反論の余地のない説明がなされたことは一切ない。経済理論は常に間違い、とくに未来に関しては、まったく役に立たない。

今日、こうした経済学の敗北は、誰の目にも明らかである。よって、この疑似科学の高僧たちは「自分たちの科学は実験的なものであって、予測ではなく、過去を解釈するだけ」とうそぶいている。理論的な根拠もなく、やみくもに行う社会実験から導き出された政策を提案する学者には、偽のノーベル賞さえ授与されている。ようするに、科学では決してなかった「科学」の死が確定したのだ。

私は、経済学が「世界の取扱説明書」ではないことを強調しておく。世界を形成するのは「慣行」と、はるかに広範な科学である「歴史」だ。

「常識」とも呼ばれる「慣行」は、経験、寸言、諺、寓話、逸話、さらには冗談のかたちを借りて、数千年にわたる社会生活によって培われてきた数多くの行動規範を示す。これは世界中の経済学、社会学、地政学、ビジネスの教科書よりも、はるかに役立つ。

そのような寸言を少し紹介しよう。

「手の中の鳥一羽は、藪の中の鳥二羽分の価値がある」

「モノは、買い手が存在してこそ価値がある」

「平和を望むなら、戦争に備えよ」

「片足分しかないズボンは商品にするには便利だが、はくには向かない」

「債権者に《返済しない》と伝えたのなら、安眠できる」

「それが無料なら、商品は自分自身だ」

「私の自慢は、自分の夫の愛人が隣人の夫の愛人よりも美しいことだ」

己の人生を考える際、これらの寸言は、経済学、経営学、社会学、哲学、政治学などの書物よりも、はるかに役立つヒントを提供してくれるに違いない。

「歴史」のあらゆる側面（人類学、民俗学、神学、社会学、政治、文化、経済、環境、金融、人口、哲学、科学、技術）を研究すれば、（理論的にではあるが）「世界の仕組み」を見出し、少なくとも二〇五〇年くらいまでの未来は予測可能だ。歴史を学べば、とくにイデオロギーに翻弄されることは避けられる。また、歴史はその人の社会層や視点とは関係なく、未来に関心を持つ者全員に、鋭敏な分析ツールを提供してくれる。

二〇五〇年は遠い未来ではない。読者は、今から三〇年前〔本書の刊行は二〇二三年なので一九九三年〕に今日の世界についてわかっていたことを思い起こしてほしい。ほとんどのこと（携帯電話やインターネットの発展、気候変動、疫病の流行、肥満、水不足、格差の拡大、移民、中国とアメリカの対立、ウクライナとロシアの紛争）は予測できたし、多くの過ちを避けることもできたはずだ。

本書の目的は、「世界の仕組み」を白日の下にさらすことだ。とくに若い人たちに対し、彼らが私の年齢になるころには、人類は地球が地獄と化すのを食い止め、襲ってくる「三重苦」を回避し、人類全員が他の生命と調和して豊かに暮らすための術（すべ）を身につけるのは可能だと、説くことだ。ただし、道草を食っている余裕はない。

第一章 概念

本書を通読すれば先述の疑問の答えがすぐに見つかると思っている読者もいるだろう。だが、答えを提示するだけでは誤解を招く恐れがある。そこで最初に、私は歴史から学ぶ術（すべ）を読者に伝授したい。

しかしながら、読者はこの第一章を飛ばして、次の章から読んでも構わない。

まず、本書で用いるいくつかの概念、というよりも、これらの概念の歴史から説明する。というのは、人類と人類が築く世界は普遍的な自然法則に従うが、人類とその世界は不変な自然とは異なり、そうした自然法則を適用する者の生きる時代、場所、社会状況によって変化する概念によってしか、叙述できないからだ。

まず、人類とその世界を叙述する際に用いられる言葉に注意すべきだ。たとえば、市場経済が君臨する今日、個人や共同体が所有する物体を肯定的に表現する場合、これは「財」と呼ばれる。したがって、市場で販売されている商品は「財」だ。逆に、否定的に言い表す場合では、「モノ」と呼ばれることが多い。

「財」に関する金銭が肯定的に表現される場合には「価値」、逆に否定的な場合には「コスト」が語られる。

ある活動が肯定的に表現される場合には「サービス」あるいは「手当」、逆に否定的に表現される場合には「労役」という言葉が用いられる。

労働が肯定的に表現される場合には「仕事」、逆に否定的に表現される場合には「職務」、最近では「人的資源」という言葉も用いられる。

われわれを取り巻く環境が肯定的に表現される場合には「自然」、逆に否定的あるいは無関心に表現される場合には「環境」という言葉が用いられる。

生き物が事物の背後に隠される（生き物をモノ化する）場合には、「天然資源」や「環境」という言葉を用いて、自然の役割は人間の必要性を満たすことだと示唆しようとする。

共有財の財源が肯定的に表現される場合には「分担金」、逆に否定的な場合には「税金」という言葉が用いられる。

また、言葉の直接的な意味の背後にも、注意すべきだ。たとえば、「電気自動車」は、しばしば「石炭自動車」にすぎない（石炭火力発電の電気を使用しているから）。

そこで、本書で用いる重要な概念である、欲求、欲望、稀少なモノ、労働、資本、レント（超過利潤）、賃金、利益、交換、分配、金融の意味を明確にしておく。

欲求と願望

人間は欲求に駆り立てられ、願望にとらわれ、不安に駆られる。歴史を振り返ると、いつの時代でも権力者は、人々の欲求、願望、不安を、多かれ少なかれ効果的に誘導および管理してきたことがわかる。

すべては欲求から始まる。

三〇万年前のホモ・サピエンスはノマドな狩猟採集民だった。彼らのおもな欲求はサバイバルだった。そのためには、食糧を確保し、安眠できる場所を見つけ、身を守り、移動し、生殖し、衣服をまとい、知識を伝達しなければならなかった。当時のホモ・サピエンスも他の生物種と同様に、性欲と愛が必要だった。彼らの時代においても、悪をなす、あるいは理由もなく悪に苦しむのは、耐え難いことだった。

獲物や食用の植物が豊富にあったので、サバイバルのために他者を殺す必要はほとんどなかった。だが、当時のホモ・サピエンスがそうした欲求を満たすには、しばしば物やヒトを含む生き物の力を糧にした。よって、カニバリズムは実際のものであれ象徴的なものであれ、欲求を満たすための最初の方法の一つだった。力を得るために、実際に、あるいは暗喩として(他者が生産したものを食べる)、他者を食べた。カニバリズムの痕跡はほとんどの文化、さらにはキリスト教にさえ数多く残っている。当時のホモ・サピエンスはそうした欲求を満たすためなら、どんなことでもやってのけた。

次に、サバイバルとは直接関係のない欲求が登場した。たとえば、世界に意味を付すこと、探求すること、発見すること、描くこと、歌うことだ。さらには、蓄財すること、支配すること、搾取すること、悪を弄(もてあそ)ぶことだ。

次第に、健全な食生活を送ること、病気にならないこと、健康であること、寒さ暑さや雨風から身を守ること、快適な住まいを確保すること、充分な収入を得ること、できるだけ多くの知識を得ること、職業を選択すること、暴力や苦痛を回避すること、健全な地域で安全かつ自由に暮らすこと、自分たちの指導者を任命することなどは、飲食と同じくらい重要な欲求と見なされるようになった。

同様に、これら以外の欲求を満たすために、誰もが仕事を必要とするようになった。なぜなら、他者の世話をすることや、他者の欲求を満たすことが、人によって義務（暴力を避けるため）や欲求（自分の人生に利他的な意味を付すため）として現れたからだ。

誰かがある欲求を満たしたいと願うとき、その欲求は需要と呼ばれる。

欲求は、まず願望というかたちをとる。つまり、願いだ。欲求を表明する人は、自分の願いを叶えることがまだできていない状態にある。欲求はぼんやりとしたあこがれや、目先の気まぐれとして現れる。よって、欲求には、持続性のある欲求、儚(はかな)い欲求、確固とした欲求、移り気な欲求などがある。

われわれは、実在して入手可能なものを欲しがる。というのは、それを耳にしたからであり、他者がそれを持っているからであり、他者がそれを欲しがっているからだ。さらには、われわれは、他者が欲しがっているものしか欲することができず、すべての欲望は必然的に三角関係だという説もある（ルネ・ジラール〔フランスの文芸批評家〕は、これを模倣的欲望と呼んだ）。

逆に、願望は死に対する恐怖の表れだという説もある。つまり、死から身を守るためのモノやサービスを手に入れる、気を紛らわす、自分が死ぬ前までには必ず利用するだろうモノ（例：本）を所有するなどの行為によって、無意識にせよ、自分の死期を遅らせたいと願うのだ。

不可能なことが願望になることもある。たとえば、不老不死になること、不治の病を治すこと、会うことができるはずのない人に会うこと、自分の能力を超えた社会的な地位や職業に就くこと、大富豪、絶世の美男子、絶対的な権力者になることなどだ。これらの中には、「まがい物」を用いてとりあえず満たすことのできる願望もある。たとえば、愛や友情の「模造品」を、自分は騙されていると知りながら、あるいは知らないで「購入」することで願望を満たすことだ。このような例は無限に存在する。

徐々に抑え難くなり、心を奪われる願望もある。ほとんどの人がそうした願望を叶えることができなくても、誰もがそうした願望を絶対的な欲求と考えるようになることもある。

願望と同様、すべての欲望がサバイバルに役立つとは限らない。タバコ、アルコール、砂糖、さらには天然由来の、および人工の薬物や依存性の高いデジタル製品など、ときには自殺にまで至る欲望もある。

また、自殺には至らないが、同時代や未来の他者を毀損（きそん）することになる欲望もある。というのは、そうした欲望を満たすには、誰かを搾取したり、辱（はずかし）めたり、殺害したりするか、気候や自然を破壊したりする必要があるからだ。

時がたつにつれて、他者あるいは自分自身によって無償で提供されてきたサービスの多くは、他者の有償労働によって生み出されるモノとサービスに取って代わられつつある。

たとえば、最も基本的な欲求の一つである食べることだ。人類が誕生して間もないころ、食事は生活の場で、自分自身あるいは家族が準備した。そして、生産した食糧は、自分たちが食べることによって消費されてきた。

その後、こうした活動に費やす時間を減らしたいという願いが生じた。なぜなら、食糧を自分で生産および準備している時間は、他のモノやサービスを生産および消費できないからだ。また、他者と会話することもできない（社会秩序にとって、会話は危険な行為）。

そこで、食糧は手工業的、次に工業的に生産されるようになった。食糧は、原材料に始まり、加工品、そして食事そのものが販売され、家庭、特別な場所、仕事中、移動中に消費されるようになった。つまり、食事は市場製品を単に消費して英気を養う手段ではなくなり、産業になったのだ。食糧以外の多くの分野でも、このような進化が確認できる。

稀少なモノとは何か

一般的に、経済学は（世界の取扱説明書として）、稀少なモノの生産、所有、交換、管理に関する学問として紹介される。

ところで、「稀少なモノ」とは何か。現実の世界では、状況は無限にある。モノの稀少性や豊富さは、歴史的、社会的、地理的な条件によって決まる。そして「稀少なモノ」の管理は、経済よりも政治に左右される。この点からも、経済学は政治の一つの側面にすぎないと言える。

では、いくつかの事例を挙げて考察してみよう。

無限に利用可能なモノは、ほとんどない。たとえば、それはある人物の利用によって他者の利用が妨げられることのないモノだ。言い換えると、ある人が利用したとしても、誰もが利用できるモノだ。太陽の光、風、アドバイス、アイデア、音楽、物語、詩などだ。友情も該当するかもしれない。反対に、ある時期には限られた数しかなくても、自然に再生するので、無限に利用可能と見なすことのできる財もある。たとえば、植物、動物、人間だ。

また、人類は天然資源（地上、地中、海洋）を無尽蔵だと思い込み、必要なのは採掘コストだけだと信じてきた（これが幻想だと思い知るには、かなりの時間を要した）。だが、呼吸できる新鮮な空気の量は限られている。地中、地上、海洋の資源の量にも限りがある。会話の量も、会話のために利用できる時間によって限られている。一部のメディアによる情報や音楽の無料提供は、われわれが広告を見聞きしたり、自分の個人情報を多かれ少なかれ意識的に渡したりすることと引き換えに行われているにすぎない。

一方、モノが豊富にある場合でも、それらのモノの生産者に報酬を支払うために、それらのモノの稀少性を人為的に高めていることがある。たとえば、アイデアや芸術作品の場合では、著作権や特許権の遵守を利用者に課すことによって、稀少性を高めている。植物の種子も同様だ。種子会社は、新たに開発した種子の料金を請求して稀少性を高めている。また、利用者の数を制限できる公共の場、コンサート会場、牧草地も同様だ。

これまで、「稀少なモノ」が消失するまで使われたこともあった。たとえば、一部の動物種は、絶滅するまで狩猟の対象になり、消費された。植物にも、過剰採取などによって絶滅した種がある。消失する前に利用が中止された「稀少なモノ」もある。たとえば、数万年前から道具や武器の材料として使われてきた宝石や、絶滅寸前のところで保護対象になった一部の動物種などだ。

稀少性があるかどうかに関係なく、われわれが欲しがるモノは「財」（先述のように、肯定的な意味合いを持つ言葉）と呼ばれる。従来、財は「耐久財」（長期間の使用に耐える財）と「非耐久財」（短期間しか使用できない財）、そして「私的財」と「共有財」（「集合財」や「公共財」がある）に区別されてきた。

私的財は、個人が所有できる財だ。たとえば、武器、道具、土地、家屋、衣服、種子、動物、そして過去では長い間、男、女、子供が私的財だった。私的財は、モノとサービスに区別できる。モノは人間の手だけによって生産されるモノと、機械の力を借りて大量生産されるモノに区別できる。大量生産されるモノは、物質的なモノと非物質的なモノ（したがって、稀少性のないモノ）

に区別できる。労働は私的財だが、労働の所有者が労働の供給者であることは稀にしかない。悪をなすこと、虐待すること、支配すること、辱めることが私的財であるかについては、議論は尽きないだろう。

共有財は、自然または生産された財であり、誰もが利用できる財だ。よって、それは、太陽、気候、生物多様性など、先験的に稀少性のない財だ。

共有財に含まれる集合財は、人間の活動によって生産される財だ。この財の特徴は、ある人の消費が他の人の利用に影響をおよぼすことがないことだ。言い換えると、二人の個人のうちの一方がお金を支払わなくても、二人が同時に消費することのできる財だ。集合財には、文学、絵画、音楽などの芸術作品、コンサートや演劇（ただし、会場の座席数という制限はある）、ラジオやテレビの番組、ポッドキャスト、インターネット・サイトなどがある。それらの利用料は、チケット、価格、使用料、加入料などのかたちで、全員あるいは利用者が負担する。税金も集合財だ。

共有財に含まれる公共財は、その利用がその生産コストを上回る利益を共同体にもたらす。たとえば、教育制度、病院、博物館、劇場、コンサートホール、軍隊、警察、司法制度、民主主義制度などだ（控えめなものとしては、公共の照明が挙げられる）。法律や規制（とくに自由を守るためのもの）も、公共財と見なすことができる。公共財の生産および資金の出し手は、篤志家、民間企業、公的機関、さらには（民間または政府の任意あるいは強制の）保険メカニズムだ。

発電所、道路、鉄道網、海底ケーブルや光ファイバー網などの場合では、「共有財」は私的財の管理と利用に影響をおよぼすことがある。

私的あるいは公的な権力が稀少なモノを専有しようとしたり、分配を管理するために稀少でないモノを稀少にしようとしたりすることがある。稀少なモノの分配は、権力（奴隷労働や女性と子供の家事労働の場合）や市場（強制力を用いることもある）、さらには国家、独裁者、民主的なプロセスによって行われる。財の分配には、常に悪が潜んでいる。

モノは、「共有財」から「私的財」へと移行することがある。稀に逆方向の場合もある（例：芸術作品、教育、情報へのアクセスを無料にしようという試み）。ほとんどの財は、最初は「共有財」だった後に、腕力や法律によって「私的財」になった。たとえば、「共有財」だった音楽は、コンサートホールでの演奏会、次に蓄音機、レコード、カセットテープなどの工業製品を経て「私的財」になった。そして今日、音楽はインターネットで仮想化されて再び「共有財」になった（このように、音楽は「共有財」から「私的財」へと移行して仮想化した最初の財だ。そして、アマチュアの演奏によって再び「共有財」になろうとしている最初の財でもある）。

最後に、時間について考察する。時間は、これらの分類に当てはまらないきわめて特殊な財だ。時間の利用に関しては、誰も排除できないので「共有財」だ。しかし、時間の利用は他者によって妨げられることがあるので「共有財」ではない。時間は稀少であり、時間の使用は販売可能なので「私的財」だ。しかし、人生の時間を蓄積することはできないので、時間は私的財ではない。人類にとって、時間は少なくとも概念として、過去はともかく未来においては、無限に存在する財だ。反対に、現世を生きる万人にとって、時間は稀少な財だ。どんな権力者であっても、自己に残された時間という牢獄の中で暮らさなければならない。また、自分にどれだけ時間が残されているのかはわからないし、時間という牢獄の壁を押し広げてそこから逃げ出そうとしても徒労に終わる。そして、時間は労働と人生の究極目的の原材料だ。

これらの分類は複雑に感じるかもしれない。だが、これらの分類を用いれば、人間同士や自然界との関係を、きわめて鋭敏に描き出すことができる。

労働と生産

労働の産物は、すべて人工物だ。意識的な行動は労働になり、労働は人工物を生み出す。よって、収穫、道具、庭などは人工物だ。

労働は、年齢、性別、体力、能力に応じて分担されるようになり、複合的なものになった。たとえば、矢尻をつくる場合、石を選別する役割と、選別された石を磨く役割が分担された。火の扱いの場合も、火を起こす役割、火を雨風から守る役割、火から最大のエネルギーを引き出す役割が分担された。狩猟や採集も同様だ。このようにして役割、権限、労働の分担が始まった。

こうした分担は、原材料を採掘し、財、サービス、知識、技能、技術、芸術作品を生み出す際に、さらに明確になった。役割を階層化させたのは分業だという説もあれば、権限が分担されたので分業が生じたという説もある。いずれにせよほとんどの場合、分業は男性の権力のもとに行われ、権力者は自分に有利になるように役割を割り振った。その際、とくに女性と子供に対して、ひどい暴力が振るわれた。

狩猟採集民が定住化し始めたかなり後のおよそ一万年前、メソポタミアや中国の川沿いに定住型の農業社会が形成された。農業、次に畜産に関する新たな労働生産形態が誕生した。その後も、さまざまな産業が興った。

たとえば衣服製造の場合、羊の飼育者、染料植物の栽培者、なめし革職人、鍛冶職人、宝飾品や武具の生産者、羊毛の毛すき職人、織物職人からなる生産体制を徐々に組織しなければならなかった（ほとんどの場合、権力者が強制的に組織した）。

これらの異なる製品を交換するために、輸送手段の整備も必要になった。

捕獲した動物の家畜化が始まり（八〇〇〇年ほど前）、車輪が発明されると（六〇〇〇年ほど前）、馬の飼育と管理、馬具、鞍（くら）、馬車、戦車、船を製造する者が任命された。こうして知識を伝達する必要が生じ、騎手、書状の配達人、船乗り、宿屋の経営者、商人、会計士などが養成された。知識の伝達は、とくに、寺院や軍隊が組織されると、儀式や戴冠式を行うために必要になった。また、天候を予測したり、戦争の計画を立てたりするには、知識の伝達は欠かせなかった。

これらの多くの職業には、奴隷や束縛された人々が必要だった。そうした不自由な境遇から逃れ、職人、兵士、宗教人、芸術家になる者もいた。このような時代が数千年間続いた。その間、戦争は頻繁に起こり、人々は病気に罹（かか）ると命を落とした。痛みを緩和する術（すべ）はなかった。ほとんどの女性は教育を受ける機会を持たず、家事労働に無償で専念した。女性は交換や交易の対象だった。

この数千年間、主要な生産物は食糧だった。おもな労働者は農民であり、次に使用人や職人だった。全員が領主と神官に仕え、領主と神官は兵士に保護された（あるいは、彼ら自身が兵士だった）。これらすべては、自然に湧き上がる欲求と権力者の命令という、強制のもとに行われた。

そのころ、人類の活動が自然におよぼす影響はまだ小さく、可逆的だった。

潜在的な消費者に生産物が提供されることを「供給」と呼ぶ。「供給」には「需要」がなければならない。つまり、供給は欲求を満たす必要があるのだ。

人類は当初から、とくに労働力が不足していたときには、できるだけ小さな労力と資源で生産しようと努力してきた。これが今日の生産性だ。

まず、自分たちの作業を効率化することによって、生産性を向上させた。たとえば、道具や槍(やり)の先に付ける石を手仕事で素早くきれいに削った。次に、石をきれいに削る道具を開発した。さらには、弓のような道具や武器を発明することにより、矢尻として利用する削った石の破壊力と飛距離を向上させた。そして発射機、梃(てこ)、車輪など、人力を増強させる手段を発明した。

その後、水力、風力、熱、石炭、石油、電気をエネルギー源とする機械をつくり出し、これらのエネルギーをコミュニケーション手段と組み合わせるデジタル技術を利用する機械を生み出した。エネルギーと情報は重要な概念であり、両者にはつながりがある。これについては後ほど述べる。

いずれの場合も、過酷な作業を他者に課すのは権力者であり、権力者はこうして己の権力を強化した。生産の際には、労働、資本、天然資源を組み合わせなければならない。

いつの時代も、職業は各人のアイデンティティの重要な側面だ。というのも、社会的な地位は職業によって決まり、職業は社会的な地位によって決まるからだ。

労働は私的な財であると同時に、私的な財を生産する手段でもある。労働は肉体的な労力だけを頼りにするのではなく、人間の知性と知性が生み出すイノベーションを実践に移すことだ。

歴史を振り返ると、非常に長い間、男女および子供は労働から逃れようとする際には、死を覚悟しなければならなかった。

イノベーションは、人間の労働の賜物だ。イノベーション誕生のおもな要因は、稀少性という制約からの脱出が急務になるという、サバイバル精神だった。

労働は私的財を生産する私的財だ。労働の報酬は力関係の結果だ。報酬は、労働者が自分の生産したものの分け前を主人から得ることであり、己の能力を推し量る物差しだ。力関係によっては、労働者は自分が働き続けるのに必要な額以上の報酬を得られる。長期にわたって労働を奪われ、労働を強制されない者は、見放された存在だった。彼らは、「浮浪者」、「野蛮人」、「乞食」と呼ばれた。そして最近では、「失業者」と呼ばれている。これは、賃金労働者が登場してから意味を持つようになった新たな概念だ。

資本について

それまでの労働によって生み出された稀少なモノ、土地、生産手段などのかたちで蓄積された資源が資本だ。あるいは、貨幣が誕生してからは貨幣だ。事業計画における資金の出し手〔資本家〕は、労働者に対して自分に従うように命じ、労働者が資本の助けを借りてつくり出す財の所有権を手に入れ、彼らの報酬額を決めることができた。

生産された物の価格と労働者への報酬の差額が資本家の利益であり、利益は資本家の懐に入るか再投資された。

少なくとも三〇〇〇年前（貨幣が登場するはるか以前）、金融機関が登場しても、この力関係に変化はなかった。すなわち、労働は投資または借り入れた資本に従属し続けた（稀に、労働者が自分たちで立てた事業計画に資本家から融資を取り付け、完成したものの所有権の一部を手に入れたケースもあった）。

自然について

数十万年もの間、人類は、自然の物を採集、漁獲、狩猟し、食糧を確保し、暖を取り、住居をつくり、身を守ってきた。そのころの人類にとって、自然は無限の貯蔵庫のようなものだった。今日まで、農業、漁業、畜産、林業、鉱業（鉄、金、銀、石炭、石油、天然ガスなど）において、自然の恵みから富を生み出す際、労働と資本だけが報酬を得てきた。つまり、自然に対する報酬はなかったのだ。自然は法律の主体者ではなく、対象になることさえ稀だ。自然の再生サイクルを無視して自然を利用し続けると、自然の再生サイクルは変調をきたす。自然に廃棄物を投棄すると、自然の再生サイクルの変調はさらに悪化する。これは経済学者が秘密にしてきた現象であり、彼らはこれを「外部不経済」と曖昧に表現する。

分配と交換

稀少性が生じると、権力者は、公的および私的な財に分配規則を課した。この規則は、契約という形態をとるようにもなった。

権力者が課す分配とは、自身の統率する集団を機能させるために必要と考えるもの（食糧、住居、道具、女性）を集団の各人に与えるということだ。権力者に服従する者たちは、この分配を甘受した。ところが、この分配をめぐり、闘争、蜂起、虐殺、革命、妥協が起こるときがあった。

提示された分配を彼らが満足して受け入れると、分配は契約形態になった。ある者はこれを評して「彼らは隷属状態を楽しんでいるにすぎない」と語った。また、フランスの社会学者マルセル・モースによると、分配は、強者が弱者を見下すときにも契約形態になるという。つまり、強者から弱者への施し（ほどこ）という構図だ（「私は、自分があなたよりも豊かで権力を持っていることを示すために、あなたにとって重要なものを恵んであげる」）。

弱者は服従して提示された分配に応じるか、蜂起して分配の不均衡を是正しようとした。蜂起は、均衡が是正されるまで続くこともあれば、暴力にまで至ることもあった。

人類は、このような弱い者いじめや蜂起が集団にとって自殺行為であることを理解するまでに長い時間を要した。たとえ不平等であっても、決まりに基づく交換契約こそが、社会の存続と暴力の制御の鍵だと納得したのだ。

まず、この契約によって交換が確立した。強者は弱者に保護を確約する代わりに、弱者は強者に労働の産物を提供した。

次に、私的財同士の交換が始まった。物々交換では、二人の当事者は、双方の財に本質的な価値を付すことなく、交換対象になる財を生み出す際の労働量の均衡を探った。こうして誕生したのが市場であり、市場は当時のヒト集団と同様、ノマドだった。

(財、サービス、生き物の)交換の場は、第一に、何者かに襲われることのない安全な場所である必要があった。交換の本質を遵守するために、交換の場は、腕力を示したり、戦ったり、挑んだりするのではなく、神聖な場であることが望ましかった。交換では、双方の当事者とも、自分の強い立場を利用して相手を威圧したり、小細工を弄(ろう)して相手を騙したり、言葉を含めた暴力を振るって相手から収奪したりするようなことをしてはいけない。初期の交換では、会話さえ禁じられていた。すなわち、「沈黙の市場」だ。

「沈黙の市場」では、売り手は、取引したいモノ（あるいは人間）をその場に置いてから立ち去り、身を隠して遠くから観察する。しばらくすると、置かれたものに興味を持つ人物が現れる。この人物は、自分がそれと同等の価値を持つと思うモノをその隣に置き、（置かれたモノはとらずに）観察するためにその場から少し離れる。戻ってきた売り手は、この交換を受け入れるか否かを判断する。このようにして交渉は延々と続いた。

沈黙によって儀式化されたこうした交換は、暴力を制御する主要な手段として数万年にわたって世界中で行われてきた。交換を相対的に管理する必要があったのだ。というのも、一般的に強者は、弱者の労働の産物を収奪しないときは、自分の価格を相手に押し付けようとしたからだ。

市場が複数の売り手と買い手を結びつけるようになると、市場は競争の場になった。市場と競争は、しばしば同義と見なされることさえある。稀少な私的財を最も効率よく分配するのは市場だという見解がある。ところが、市場は往々にして一人または少数の売り手、あるいは買い手によって支配されている。彼らは、自分たちの労働を販売したり他者の労働の産物を購入したりする際の条件を他者に押し付ける。

出会いの場になった途端、「沈黙の市場」は、おしゃべり、交渉、叫び声、決裂など、「騒がしい市場」になった。市場では一般的に、一方の条件が通り、合意に至る。市場は取引を行うだけでなく、家族、集団、民族が出会い、議論し、暮らしを生み出す主要な場にもなった。確認されている史上最古の「騒がしい市場」は、トルコ南東部のギョベクリ・テペ近辺にあった（ここには、史上最古の聖域も見つかっている）。一万年以上前、採集狩猟民はこの市場に集まり、奴隷、情報、財を交換し、狩猟採集地の縄張りを決め、同盟関係を決め、婚姻関係を結んだ。当時の権力者は、こうした市場を力で牛耳った。

人類の定住化とともに、交換は地域に根付くようになった。富裕層は、武器、土地、作物、家畜、女性、子供、貴金属、宝飾品を蓄財し、軍隊、墓地、祈祷の場を所有した。こうして、生産と管理の手段に関する私的所有が始まった。交換は生者間の関係を管理する一つの方法でもあるように、この私的所有（とくに耐久財の場合）は、生者と死との関係を管理する一つの方法でもあった。というのは、財を蓄積するという行為は、「蓄積したすべての財を使い切る前に自分が死ぬことはない」という幻想を抱くことだったからだ。そして、この幻想は現在でも続いている。

よって、ヒトやモノを所有するという第一の動機は、買うという行為を通じて死に抗うことだった。それは会計制度が確立された時期、つまり、貨幣が必要になるよりも、はるか以前に融資が存在した理由でもあった。

借金してまで所有するのは、購入するモノ（生産手段）が、その対価を支払うに足る利益をもたらすからだ。また、交換では、分割払い契約（最初の法の支配）にして代金をすぐに支払うことなく購入することもあった。

定住化にともない、物々交換は時間がかかりすぎ、煩雑で役に立たなくなった。なぜなら、物々交換では、各モノの安定した価値を定めることができなかったからだ。また、この交換方法では、信用取引を行うことも、金融商品をつくり出すことも、容易でなかったからだ。

次の概念的な大きな進歩（これも貨幣の発明よりもずっと以前のこと）は、交換対象の財の性質とは関係なく、稀少なモノの価値を測定することだった。

「価値」という重要な言葉が登場した。それまで、財の価値は交換によって決まっていた。つまり、それは供給側と需要側の総体的な力関係によって変化していたのだ。

それまで、財の価値は主観的に決まっていた。交換に関わる二人の当事者だけのために、そして彼ら二人だけによって、決定していたのだ。

だが今日、財の価値は、ほんの少し客観的な側面を持つようになった。財には、その所有者の交換相手が誰であろうと「価値尺度」がある。こうして、財は他の財や定められた価値尺度に応じて交換されるようになった。価値尺度が示すのは価値交換だけであり、価値尺度自体を消費することはできない。価値尺度があれば交換だけでなく、備蓄の価値、財産、遺産、借金などの価値を測定し、価値尺度の蓄積を構築することも可能になった。

価値尺度はいつから用いられるようになったのか。モノに普遍的な価値を付すようになったのはいつごろからなのか。その答えは少なくとも七〇〇〇年前であり、場所はメソポタミアだった。

現在のような貨幣が登場するかなり以前から、価値を測り、蓄積するための手段は数多くあった。たとえば、塩、琥珀、貝殻（とくにタカラガイ）、羽毛、小麦、大麦、カカオ、胡椒、そら豆、茶葉、家畜、干し鱈、腰巻、彩色ガラス細工、ナイフ、布、酒、金属、宝石、銀、金（光沢があり、加工しやすいこともあり、主要な基準価値だった）、さらには、人間（交換、蓄積、生贄）だ。

そして、これらの価値尺度はさらに抽象化された。やがて、会計上の抽象的な概念である貨幣が登場した。当初、貨幣は、金貨、銀貨、合金の硬貨というかたちで具象化された。貨幣という新たな交換手段は、少なくとも理論的に暴力を独占する者、つまり、政治権力がこの交換手段の価値（金や銀の含有量）を保証する場合に限り、世間に受け入れられた。伝説によると、貨幣誕生の地は、二七世紀前のイオニア地方サルディス〔現在のトルコのマニサ県サルト〕だという。サルディスからは、近くにあるパクトロス川で採れる金と銀を使った合金の硬貨が見つかっている。鋳造された硬貨には、保証の証としてリュディア王国の王アリュアッテスの印章が押されていた。

貨幣の登場により、貢物は税金、労働の報酬は賃金、資本の報酬は利益、価値尺度の減価はインフレになった。近代経済学の概念が現れ始めた。量的に把握する「世界の取扱説明書」の登場だ。しかしながら、交換を簡略化するという口実により、貨幣によってモノの価値を価格で表した途端、すべてが複雑になった。価格は何を意味するのか。モノに組み込まれた労働を示すという説や、モノの稀少性を示すという説もある。それとも、投入した労働量や稀少性以外の何かを示しているのだろうか。

価格が労働量を示すという説は、すぐに破綻する。モノやサービスを生産するために投入する労働量は、分業化の進展とともに把握することがますます困難になった。労働量には、このモノのすべての構成要素を生み出すのに必要な労働時間を加える必要があるからだ。だが、この労働量は、投入した時間や日数だけでは把握できない。なぜなら、労働の価値は労働者の能力によって異なるからだ。

一方、価格がモノの稀少性を示すのなら、価格は需給バランスの反映ということになる。収入や貨幣の過剰な分配、あるいはこの財の生産不足が起これば（あるいはこの二つが同時に起これば）、価格は上昇するかもしれない。

また、稀少な私的財と公共財の価値尺度が収斂することはない。よって、交換は二つのメカニズムを軸に行われる。私的財の場合では、市場による割り当てであり、価格は腕力や交渉によって決まる。公共財の場合では、（後に国家と呼ばれる）公的権力がこれらの財を生産および分配する。その際の費用は税金だ。税金は、強権的あるいは民主的に徴収される。

一一世紀以降、市場は各地に設置され、市場の機能は向上した。戦費や種子を調達するために（最初は中東で、次にヨーロッパで）計画的な借入が行われるようになった。金利の決め方が洗練され始めた。理論的には、金利が高ければ高いほど、現在に対する選好が強い。逆に、マイナス金利は未来に対する選好を意味する。

次に、銀行券が登場した(最初は中国)。一八世紀のヨーロッパでは、国は(民間組織であっても「中央銀行」と呼ばれる)銀行に硬貨および紙幣の価値を保証する役割を委譲した。この保証により、貨幣は決められた量の金や銀と無制限に交換できた(当時から金や銀は、揺るぎない絶対的な価値を持つ金属として認められていた)。二〇世紀初頭、事業活動がモノにもたらした具体的な価値は、「付加価値」という用語で計測されるようになった。付加価値の一部が「利益」であり、利益は企業の資本所有者の取り分を意味する。

次に、国が公共財および私的財のかたちで毎年生産する付加価値の総量という概念が、「国内総生産(GDP)」という用語で登場した。「生活水準」は、国の人口とGDPの関係から割り出す。そして「購買力平価」による生活水準の測定では、諸外国の生産するモノ、あるいは諸外国の指定するモノとの購買力が比較される。

こうして政治のあり方をめぐる議論では、GDPの伸び率に焦点が絞られる。数十年前からこの伸び率は、生活水準と進歩に関する絶対的な指標になった。ところが、GDPで測定できるのは、一国の商業生産に関する貨幣価値だけだ。GDPには、公共サービスの実質的な価値、また、親や子供、ボランティア、非営利団体などが生み出す非営利の財やサービス、文化水準の向上、特許の数は、含まれていない。さらには、技能の向上あるいは低下、労働がもたらす苦痛、子供や女性の搾取、人々の身体的および精神的な健康、社会的格差の再生産、政府および社会保障制度の質、公共施設の質の向上あるいは低下、芸術作品の生産なども同様だ。そして、自然や天然資源の保護あるいは破壊、さまざまな公害の発生、国民が感じる自由や安全も、考慮の対象外だ。

今日、GDPという一国の活動に関する誤解を招く簡素な指標が重宝されているのは、現実やイデオロギーよりも、市場が優位にある証拠だろう。

そして、財、サービス、労働、アイデア、芸術作品、ローン、借金、対人関係など、洗練されたものが増えるにつれ、市場の数は急増した。今日では、市場ではほとんどすべてのものが売買されている。出会い系サイトなどのセックス市場や癒し系市場では、お金を払えば誰でも自分の要望や欲求に見合った出会いを手に入れることができる。

供給を増やすように促すのは需要であることもあれば、需要を喚起したり制限したりするのは供給であることもある。

最近では、新たなコミュニケーション技術により、すべての市場はグローバル化し、市場の透明性が高まるという可能性が生じた。これらの技術には、供給側と需要側の好みを把握し、両者が興味を持ちそうなことに誘導する自動化された手法が付与されている。

市場はおもに、生産手段の所有者の支配下にあった。この構図は、今日でも同様だ。市場では、情報通の者、金持ち、権力者、あるいは情報通で裕福な権力者は、有利に振る舞うことができる。

市場では、完全な競争、透明性、公正な取引条件の設定は、確約されていない。つまり、レント（超過利潤）や独占の発生は、排除できないのだ。それどころか、市場はこれらを増幅さえする。市場で均衡が崩れると、市場の機能だけでは均衡を回復させることができない。よって、往々にして危機は加速する。市場関係者が何と言おうとも、市場には財の未来の価値を定める能力はない。そして市場で取引する者は、目先の利益だけに基づく短期的な決断を迫られる。

国による集団所有と私的財と公共財の専制的な分配こそが、より公正で効率的な財の分配法だという主張がある。しかしながら、人類の太古の歴史から最近の経験までを振り返ると、このシステムよりも市場のほうが、まだ公正で効率的であることがわかる。

一方、たとえ不完全であり、権力者に有利に機能するとしても、市場は国よりも稀少な資源を適切に分配するという主張がある。このように主張する者たちによると、国は専制的で無駄が多く、弱者のために経済の活力を削ぐという。彼らはそうした弱者を、他者の労働成果から不当に利益を得ようとするフリーライダーだと糾弾する。

今日、ほとんどの国では、市場は国の主人に代わり、実質的にほとんどすべての財とサービスを分配している。ただし、一部の教育、医療、防衛、安全、主要なインフラ、社会保障は、国の指導者と彼らを任命する人々の選択に従い、国が財源を賄い、生産し、配分している。公共財（国家）と私的財（市場）との間の配分は、時間とともに、つまり歴史とともに変化する。

第二章

歴史

われわれが現在に魅了されるのは、今に生きているからだ。現在とは、過去と未来を仕切る薄い膜に過ぎない。現在を理解する唯一の方法は、長い歴史と、それが告げる未来のあらゆる側面に現在を組み入れて考察することだ。

「歴史は勝者のつくり話にすぎない」という声をよく耳にする。また、「たとえ敗者であっても自身の歴史物語を守り抜かなければ、次なる勝利はあり得ない」と説く者もいる。

実際、たくさんの歴史物語がある。私も長年にわたり、できる限りテーマ別の包括的な歴史物語の執筆に取り組んできた。執筆に際し、非常に多くの書物に目を通した。これらの中から、比較的新しい書物（内容に完全に同意できないものも含む）の著者の名前を何人か挙げておく。スティーヴン・ジェイ・グールド、ドン・デリーロ、サイモン・セバーグ・モンテフィオーリ、デヴィッド・ウェングローとデヴィッド・グレーバー、イブ・コパン、ユヴァル・ノア・ハラリ、ピエール・サンガラヴェロウ、ファブリス・アルグネスだ。さらには、時代を絞った書物の著者として、フェルナン・ブローデル、イマニュエル・ウォーラーステイン、フランスのアナール学派だ。

本書の目的は、私が辿り着いた物語の大枠を提示し、この大枠からいくつかの法則を導き出し、現在と未来の世界の取り扱い方を理解することだ。

本書では、歴史を三つの時代に分割する。私は各時代の支配者（宗教者、軍人、商人）に応じて、これらの時代を、儀礼秩序、帝国秩序、商秩序（現在）と呼ぶ。各秩序には、それぞれ独自の予測術、権力の承認法、価値体系、富の分配法がある。

支配と予測

支配とは、予測することだ。つまり、支配するというのは思考することであり、歴史をつくることだ。

有史以来、集団、村、都市、国での生産、消費、交換は、権力者の庇護のもとに行われてきた。権力者は、生産を管理し、生産された富の一部を（特権、貢物、収奪、利益というかたちで）わがものにし、残りの分配を監督し、その代わりに、臣民を脅威から保護すると請け合った（宗教者の場合では地獄や悪い生まれ変わり、軍人の場合では略奪者や侵略者、商人の場合では経済危機からの保護）。

このような仕組みを機能させるため、権力者は臣民に対し、軍隊や警察、倫理規範、所有権と税制、司法、懲罰制度への服従を課した。ところが、これらの決まりの網をすり抜ける取引はたくさんあった。いつの時代も、富のおもな源泉は取引における汚職や不正だ。

たとえ神のメッセージや腕力に基づく場合であっても、権力は、脅威を察知し、敵の到来や天候の変化を予期し、大局観を持つ能力によって、正当化された。権力者はリスクを評価し、さまざまな未来を描き出さなければならなかった。よって、これまで権力者は歴史的な順に、神官、手相見、気象学者、軍師、スパイ、金融業者、機械〔コンピュータ〕を頼りにしてきた。同時に、権力者のために未来を占ってきたこれらの人々や機械は、今度は自分たちの利益を増やして自分たちが権力者になるために自身の予言を利用してきた。**未来を占う者は、自分たちの占いを利用する者を必ず打ち倒そうとする。**

おもな権力者は歴史的な順に、神の使い、武将、資本の所有者だった。この分類によって定義される三つの秩序（儀礼、帝国、商）は、重なり合い、相互に浸透および干渉し、継承された。おもな権力が、神官、次に戦士、そして市場の主へと移り、市場の主は、種子、鍛冶場、船舶、冒険、研究、イノベーションへの融資を評価しなければならなかった。やがて、融資という行為は、時間に与える価値によって報酬を得る職業になった。ほとんどの宗教は時間に価値を付すことを認めなかったので、借り手が慌てて返済することはなかった。よって、貸し手になる者は稀だった。また、借り手は貸し手を常に嫌い、自分たちの負債を帳消しにするために、貸し手を追い払ったり虐殺したりすることもあった。

貸し手は借り手の返済の可能性に応じて、返済期限の遵守を迫るか、抵当権を実行するか、返済期限を変更した。先験的に永遠の存在である国は、個人よりもはるかに長い期間にわたって債務を負うことができた。というのは、一般的に借り手が個人の場合、貸し手は借り手の存命中に返済を要求したり、抵当権を実行したりするからだ。

次に、株式、債券、金利、株価指数、コンポジット・インデックス、ボラティリティ・インデックスなどの市場が発展し、時間という稀少で複雑な財に対する高度な知識と評価が必要になった。時間こそが歴史なのだ。

儀礼秩序

およそ二〇万年前、初期のホモ・サピエンスがアフリカでどのように暮らしていたのかはよくわかっていない。火を使いこなすことはできたようだ。彼らの主要なエネルギー源の一つは、森林の木材だった。彼らはノマドであり、アフリカ大陸を放浪する狩猟採集民だった。当時、稀少性という概念はなかった。というのも、資源が不足すると、彼らは移動したからだ。決まった場所に埋葬地がつくられるよりもかなり以前から、彼らは霊的な世界を持っていたようだ。

彼らがアフリカから脱出し、他のヒト属や動物と対峙したおよそ六万年前のことも、あまりよくわかっていない。一〇〇万人程度の人口は、狩猟採集民の小さな集団で構成されていた。ノマドの集団は、互いにかなりの距離を置いて暮らしていた。動物や家畜を持たず、徒歩でアフリカからクルディスタンまで足を延ばしていた。また、無謀とも思える勇敢さで貧弱な小舟に乗って、さらに遠くまで出かけた。

一部の考古学者や民俗学者によると、彼らの社会は稀少性に悩まされることがなかったという理由から、階層的ではなく平等だったという。逆に、ヒト集団には、定住化する時期よりもかなり以前から支配者が存在していたという説もある。つまり、一部の男性が、女性と子供、そして残りの男性を支配する社会だ。

当時のノマド社会では、モノも含めてすべてには命と意味があり、万物万象はある種の超常性と関係があった。これらは、風雨などの無数の出来事で表現された。この超常性を読み取ることのできる人物が権力者であり、表あるいは裏の指導者は、神官やシャーマンだった。彼らには、天候の変化を予測し、戦争を仕掛ける時期を占い、どんな犠牲や供物が必要なのかを述べ、生き残るべき者と死すべき者を選別する能力があった。埋葬が重要視されていたことからも窺えるように、彼らは、すでに死後の世界の意味を考えていたようだ。これまでに見つかっている最古の埋葬に用いられたと思われる装身具は、フランス西南部ドルドーニュ県で見つかった三万年前のものだ。

ノマドの集団には、数多くの社会実験と技術革新があった。近親婚や近親相姦などの禁止事項が定められた。これまでに発見された洞窟内の壁画や墓地などから多少のヒントは得られたが、彼らの儀式、世界観、宗教観については、ほとんど何もわかっていない。軍隊は、神官やシャーマンの指示に従っていた。

およそ二万年前、定住化が始まるよりもかなり以前、（ホモ・サピエンスの）世界人口は二五〇万人に満たなかった。仮住まいの場をつくる者が現れた。往々にしてフラクタル構造のこれらの場には、祈り、交換、貯蔵の場、そして稀に指導者の大きな屋敷があった。だが、これらの場は、すぐに使われなくなるか放置された。

およそ一万年前、アフリカ、中国、メソポタミアで農業が始まるとともに（ホモ・サピエンスの）世界人口は、およそ五〇〇万人になった。ホモ・サピエンスが他のヒト属を追い払うと、大河沿いに最初の定住化が始まり、これらはすぐに都市になった。都市では、革新的な出来事が起こった。数学と冶金術の発明、馬の飼育、大麦、オリーブ、ナツメヤシの栽培、パン・オ・ルヴァン、ビール、織物、ろくろの開発などだ。また、大型船での移動も始まった。大きな神殿や宮殿が建てられた。

これらの都市の中でも平等意識の強いところでは、すべての家族は家を持ち、ある程度快適な暮らしがあった。このような平等ルールは、ずっと後にメキシコのトラスカラ州の先住民社会などにもみられた(指導者は謙虚でなければならないとして、定期的に鞭(むち)で打たれた)。初期の定住化社会の平均寿命は、ノマディズムの時代よりも短かったようだ。これは、移動を放棄した代償だった。神官は蓄財を収奪しようとする敵を追い払うために、実際的な脅威を予見する軍人を頼りにし始めた。こうして、軍人が社会階層の頂点に頭角を現すようになった。

帝国秩序

その二〇〇〇〇年後の八〇〇〇〇年前、メソポタミアや中国の大河沿いに、商人、職人、農民が集まって都市を形成した。都市は次第に大きくなり、人口は増えた。神官の予見を利用していた軍人が予見するようになった。軍人や警察官が権力を手中に収め、彼らは、しばしば自分たちこそが君主や神の使いだと宣言した。大衆は、建物やインフラ、農産物や手工芸品をつくらされた。武力によって権力を奪取した彼らは、法を定めることもあったが、彼らにはこれらの法を捻(ね)じ曲げる絶対的な権力があった。彼らは、自分たちの権力を維持するために、常に富を蓄積しなければならなかった。こうして没落するまで、そして他の都市や他の神王が台頭するまで、彼らは拡大路線を歩み続けることを強いられた。

その二〇〇〇年後の今から六〇〇〇年前、メソポタミア、エジプト、ユダヤ、ギリシア、インド、中国、アメリカ、南および北ヨーロッパ、アフリカでは、これらの都市が集結して帝国が形成された。帝国は、繁栄し、拡大し、そして消滅し、次の帝国が登場した。ある帝国では、新たな輸送手段(車輪、戦車)や、河川や風を利用する新たなエネルギー形態が開発された。一時期、アジアは馬を利用してメソポタミアを支配した。

当時の世界第一位の経済大国は中国だった。中国はあまりにも豊かだったので、中国の皇帝は、誰一人として外国を支配する必要性を感じなかった。

現在までにわかっている世界最古の金鉱は、ジョージア〔南コーカサスの国〕にあった。

ほとんどのモノの分配は、おもに貢物で財を成す権力者によって行われた。

そして三〇世紀前、ペルシア、ユダヤ、インド、そして少し遅れてギリシアとローマにおいて、新たな哲学的、数学的な概念が誕生した。今日でもよく知られている道徳規範、天地創造論、形而上学、宗教、哲学に関する文書が登場した。現在でも痕跡が残っているこれらの文書は、儀礼秩序の枠組みをつくるために用いられた。

ゾロアスター教、そして他の一神教、次にギリシア思想によって、理性は信仰に反することなく信仰と対等の位置を得た。理性は自然の諸力に勝ると讃えられ、自然の欠陥を修復し、とくに貧困と闘う役割を人間に与えるとされた。これらの宗教の神官が、君主や将軍から権力を奪還しようとすることもあったが、神官は彼らの命令に従うか、あるいは彼らと共存した。王は、裁判官の役割を奪った。

西暦元年の世界人口はおよそ二億人、平均寿命はおよそ三五歳だった。この時期の労働時間は、今日よりもはるかに長かった。少なくとも二〇万種類の部族、王国、帝国が共存し、同数の首長が崇拝され、二万種類以上の言語が話され、さらに多くの神が崇められた。彼らは互いに交流し、無視し合い、戦った。儀式と軍隊の長は、収奪したり供物として受け取ったりする富の大部分を山分けした。神官はしばしば君主を選ぶ権利を持ち、君主は自身の肖像が刻まれた金貨や銀貨をつくり、これらの硬貨を使って戦費を調達した。供物で潤う寺院と税金で潤う公庫は、金融市場の保証人、監督者、最後の貸し手としての役割を担った。実権を握っていたのは、軍事力を手中に収める軍師だった。

今日、西洋では、バビロン、アテナイ、ローマを中心とするこの時代の帝国に関する知識は伝えられている。だが、中国、インド、東南アジア、アフリカ、アメリカで同時期に存在した帝国に関する知識については、人口が多く豊かで洗練されていたにもかかわらず、ほとんど教えられていない。こうした無知により、西洋の歴史物語は歪んでいる。この歪みについては、後ほど語る。

次第に、農業生産、取引、軍隊、戦争、投資、技術革新の資金を賄うには、物々交換や硬貨だけでは不充分になった。

君主、皇帝、統領は、資金繰りを賄うために、寺院から借金しなければならなかった。借金の結果、彼らは破産して姿を消すこともあった。

ヨーロッパと小アジアなどに存在した帝国を引き継いだローマ帝国は、ヨーロッパ、北アフリカ、小アジアの大部分を支配した。ローマ軍は中国にまで進軍した。日本では、最初の国家形態の組織が誕生した。

五世紀、中国、モンゴル、ササン朝、ビザンティン、グプタ朝、チャールキヤ朝、ネイティブ・アメリカンなどの帝国による支配は続いた。しかしながら、世界の大部分を支配する一大勢力はまだなかった（ただし、フン族などが世界制覇を試みた）。

ローマ帝国は崩壊したが、ヨーロッパが大混乱に陥ることはなかった。というのは、ローマ帝国の領土では、別の帝国が支配し、王が君臨し、カトリック教会が精神面の権力を握るようになっていたからだ。

カトリック教会は、皇帝、君主、学校を牛耳り、将軍や君主と富を山分けした。司祭は死後の恐怖を煽って教会の戒律に服従するように説き、自分たちと王族を除く者たち全員に対し、「貧困は神の思し召し」と考えるようにと諭した。

その少し後、マグレブ〔北アフリカ北西部〕からインド亜大陸にかけて、キリスト教と同じ一神教のイスラム教の名のもとに、新たな君主が権力を握った。

中国では、君主は神を自称し、相変わらずきわめて裕福だったので、世界制覇に興味を示さなかった。

七一八年に日本の石川県小松市に開業した旅館「法師」は、現在も営業している世界最古の宿と言われており、四六代にわたり同じ家族が経営している。

紀元一〇〇〇年末、世界でおよそ二億五〇〇〇万人の人々が、数千の帝国、そしてさまざまな部族や集団で暮らしていた。世界中、どこの社会にも身分制度があり、神官、兵士、農民は、区別されていた。おもな権力者は軍人、おもな労働は強制、おもな富は土地だった。世界では、社会は以前の儀礼秩序の面影を残しながらも、帝国秩序に従っていた。おもな活動は、農業、宗教、軍事だった。人類の活動が自然におよぼす影響は、依然としてわずかであり、可逆的だった。レント（超過利潤）を懐に収めるのは世界中どこでも、軍人、君主、神官だった。ほとんどが農奴だった労働者の報酬は、自分たちの労働生産物からのわずかな現物支給だった。

一一世紀中ごろ、イノベーションとコメの栽培（大量の食糧備蓄ができた）により、中国の人口は倍増した。ヨーロッパでも多くのイノベーション（これらの一部は、中国からイスラム経由で伝わった）によって、農業革命が起こった。風車と水車は、エネルギー生産と小麦の製造に革命をもたらした。一方、海洋はまだ視野に入っていなかった。商人はまだ権力を持っていなかった。権力のおもな源泉はまだ土地であり、正当な権力を握るのは相変わらず軍人と大地主だった。だが、権力を維持するには、資源を遠方から大量に調達する必要が生じた。こうして、これらの資源の生産と交換の方法を模索することが急務になった。

世界中（ただし、中国を除く）では、生産量を増やすために生産手段の増強が必要になった。生産手段を増強させるための君主や将軍の資金需要は、寺院や商人からの融資を拡大させた。キリスト教とイスラム教の信者が有利子の融資を行うことは禁じられていたので、資源確保の必要性に迫られたヨーロッパと中東の君主は、一〇〇〇年ほど前から離散していたユダヤ人社会に対し、安全と引き換えに、銀行業務を担い、軍資金や権力維持の資金を融資するように迫った。すぐに、ユダヤ人以外の商人も、こうした銀行業務に携わるようになった。このときも、**未来を占**

う者は、その占いを利用する者と権力を争った。すなわち、富を築き、富を交換する方法を見通す者（商人）は、この見通しを利用する者（軍人）と権力を争ったのだ。

市場経済（賃金労働、資本、利潤）への参加者は、まだ全人口のごく一部であり、市場経済によって生み出される富の割合も、まだわずかだった。ところが、まもなく市場経済は権力を握り、皇帝秩序を転覆させたのである。

商秩序——九つの「形態」、九つの「心臓」、九つの危機

商秩序の取扱説明書

一一世紀になると、少なくともヨーロッパでは金融機関のおかげで、貨幣は貿易においてますます重要な役割を担うようになった。神官や兵士に代わって権力を握ったのは、商人だった（まだ産業家ではない）。

商人が予測したのは、死後の世界でも戦争でもなく、経済だった。経済が必要不可欠になったのだ。数千年来、帝国や王国の片隅で富を蓄積してきた市場には、富が急増し始めた。なぜなら、おもなイノベーションは市場を通じて起こったからだ。

商秩序が始まった。今日における商秩序は、これまでになく強力だ。後ほど語るように、商秩序は、この先も長きにわたって続くだろう。

商秩序とその後に「資本主義」と呼ばれるものは、同じではない。なぜなら、商秩序は、交換だけを司るのでも、所有形態だけで決まるのでも、単なる経済的な概念でもないからだ。すなわち、商秩序は、生産を変化させ、分配を市場に任せると同時に、イノベーション、文化、生活慣習、男女の社会的な地位を誘導する。商秩序に参加する者は、さらなる自由を求め、自由を手に入れることができる。

商秩序は、所有権を保護するために法の支配を拡充させ、生活慣習を変化させ、事業の経営方針を自分自身で決定する機会を商人に与える。経済的なリベラリズムは政治的なリベラリズムへと導き、ゆっくりとではあるが、代議制民主主義を根付かせる。この一連の流れは、アフリカ、ヨーロッパ、アジアの一部の地域で長年にわたって理論化および実証されている。

商秩序では、資本と労働との間の付加価値の分配は、労働がおよそ三分の二、資本がおよそ三分の一という割合が長年にわたって続いた。近年で、この割合からの乖離が三％を超えることも下回ることもなかった。

一一世紀に帝国秩序から商秩序へと移行したのにもかかわらず、帝国は活力を取り戻したようにも見える。たとえば、中国では宋が国を再統一した。その後、アジアの全海域を支配した中国は、初めて舵と羅針盤を装備した船を使い、アジアからの香辛料と引き換えに、ヨーロッパから農産物や工芸品を輸入した。当時、世界最大の大国だった中国は、相変わらず外国を侵略しようとも知ろうともしなかった。

同時期、ヨーロッパでは、ローマ帝国はゲルマニアでよみがえり、カトリック教会は魂と肉体をめぐる権力を皇帝と争った。

一二世紀中ごろ、世界人口は三億五〇〇〇万人になった。世界最大の都市は、依然として帝国の都市だった。西安とバグダッドの人口は、それぞれ一〇〇万人以上だった。たとえば、ヨーロッパで当時、最も豊かな都市であり、イスラム帝国の首都だったコルドバには、船や隊商がアフリカから金、アジアから香辛料、ヨーロッパから小麦、世界中から奴隷、宝石、武器を運び込んだ。

一一四八年、当時の二大帝国だった中国とイスラムは、世界屈指の勢力でありながらも、商秩序に背を向けた。日本、インド、アフリカも、相変わらず商秩序ではなかった。それでも、商秩序は躍進した。

まだ東ローマ帝国の首都だったビザンティウム（後のコンスタンティノープル）は、イスラム軍や十字軍からひどい目に遭わされたため、自分たちの貨幣と権力を世界に押し付ける力を持たなかった。

当時のフランスは、人口面ではヨーロッパ最大だったが、政治、経済、文化の面では、大した存在ではなかった。というのは、イギリスやロシアと同様、フランスを支配していたのは、君主、軍人、司祭だったからだ。フランスの生産の大部分は、依然として（強制あるいは無償の）非賃金労働によって賄われ、商人は社会の片隅で細々と活動していた。

フランス以外のヨーロッパでは、まだ少数派だったが急増する者たち（商人、船乗り、音楽家、起業家、探検家）は、陸地や海洋を行き交い、変革を起こそうとしていた。商人たちが集まる各地の定期市では、価格が決まり、生産と貿易のための資金が調達された。こうして商人は、利益の見通しという、その後の社会で最も重要になることを予測する能力を駆使して権力を握った。労働に寄生的だと軽視されていた商秩序は、市場、貨幣、交換、利益、そして生産者間、売り手間、買い手間の競争という、独自の言語を話した。この根本的に新たな秩序において、信仰と武力に立ち向かったのは理性だった。

この変革を解読するには、商秩序特有の二つの概念を理解する必要がある。なぜなら、世界の新たな「取扱説明書」は、これら二つの概念に基づき作成されるからだ。すなわち、「形態」と「心臓」だ。

市場の法則には多かれ少なかれ従うが、法律には従うとは限らない世界中のすべての地域をまとめ上げたのが「形態」だ。「形態」では、汚職と詐欺が依然として支配的だ。世界では、「形態」は常に一つしかない。

そして「形態」の司令塔が「心臓」だ。つまり、「心臓」は「形態」の司令塔になる中心都市のことだ。たとえ他の都市の勢力が増しても、一つの「形態」には一つの「心臓(中心都市)」しかない。

「心臓」では、主要な財の価格が決まり、富が蓄積される。「心臓」は「沈黙の市場」の後継者だ。というのは、たとえ汚職と詐欺が蔓延していたとしても、法の支配が最も機能している「形態」の中心部が「心臓」だからだ。当初、すべての「心臓」は、西側ヨーロッパに位置していた。才能(芸術家、知識人、革新者、商人、職人、銀行家、船主、傭兵)と資本を引き寄せ、価格を決め、利益を蓄積し、司祭、将軍、賃金労働者、乞食をひきつけ、軍隊を配備し、イデオロギーを流布させることに最も秀でている都市こそが「形態」の「心臓」、すなわち中心都市だ。

司祭、領主、地主、傭兵、将校に代わって登場した新たな支配階級は、自分たちの自由を最も重要な価値と見なし、自由に移動および議論できる環境を整えた。彼らの特徴である新しさの探求と発見、そして自由に対する情熱こそが、教会に反して、ユダヤ・ギリシアの理想への回帰を可能にした。後ほど述べるように、すべての「心臓」は港湾都市だった。

少なくとも「心臓」の指導者にとり、商業的、政治的な自由の探求は、歴史の原動力になった。これは、エリート層のノマディズムへの回帰でもあった。「心臓」の商人たちは、キリスト教徒の帝国に蔓延する貧困を正当化しながらも、富を築くというキリスト教が広まる以前の理想を再び見出した。この理想によって彼らは、創造する、キリスト教に背(そむ)く、富を築く、知識を伝達することに邁進した。彼らは、新たな事業、モノの流通、挑戦、自己表現という意欲を抱いた。彼らの信条は、「全員が満足するには、各自が自由に意思決定をする」だった。

それまでのエリート支配層と同様、商秩序の新たな支配階級が権力を掌握できたのは、生産手段の予測と制御のおかげだった。己に対する脅威を可能な限り予測する手段を持つ彼らは、イノベーションを誘導して自身の富の管理能力を高める技術を生み出した。つまり、より多くのエネルギーを消費し、より早いコミュニケーションを可能にする技術の開発だ。作業場、倉庫、船、銀行では、彼らは以前よりもほんの少し自由になった労働力を利用した。奴隷や農奴に代わる賃金労働が始まったのだ。

商秩序の「心臓」が最初に西側ヨーロッパに位置したのは、おそらく帝国が他の地域よりも早く滅び、それまでと異なる試みが可能だったからだろう。

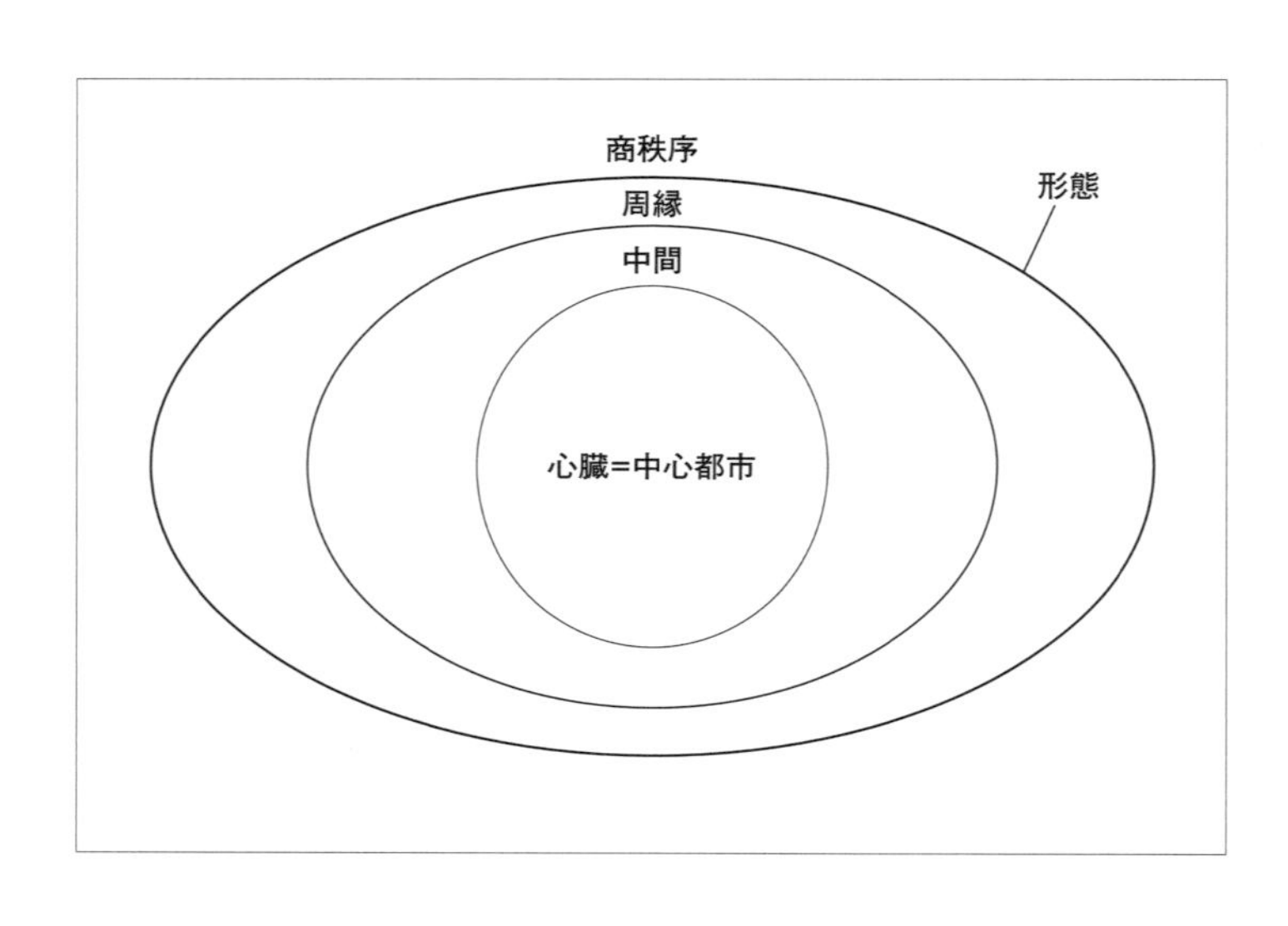

「心臓」の周囲には、衰退した過去の「心臓」や、ライバルになりつつある都市で構成される「中間」があった。「中間」は「心臓」の命令に従った。貿易条件、貨幣、文化を課し、新興勢力を監視および制圧するのは「心臓」だった。

そして儀礼秩序や帝国秩序の権力者が支配する国々、王国、帝国で形成される「周縁」は、原材料や労働力を「心臓」や「中間」に安値で提供した。

「心臓」の支配階級は、「中間」と「周縁」を支配することによって「形態」の中核を維持した。彼らは、世界をうまく取り扱うためにそれまでの権力者が利用したあらゆる手段を利用した。たとえば、彼らは法（とくに所有権）の制定と遵守のために強い国家を必要とした。というのも、臣民は法の支配があってこそ、自分たちが生産する製品を消費する手段を確保できたからだ。こうして「心臓」の支配階級は、巨大な金融システム、社会保障制度、警察を必要とすると同時に、国内外で直面するリスクを予測しなければならなかった。

「心臓」は、警察や軍隊を養うために後背地で農業を発展させ、富裕層が欲しがる稀少な物品を調達するために巨大な港を整備する必要があった。

商秩序の「形態」は、「心臓」が「中間」と「周縁」を支配および搾取するのに充分な富を集めることができる限り続いた。「形態」が息切れを起こすのは、共有財に過剰な資源を費やす必要に迫られるときだ。たとえば、私的財の需要喚起、国内の平和維持、外敵からの防衛などに多額のコストが発生するときだ。

商秩序の「形態」の存続条件は、危機を察知して市場の崩壊をいち早く予測することだった。帝国が軍事によって打ち破られたように、「心臓」は経済によって打ち負かされる。

「心臓」と「形態」は、われわれが今日経験するような「危機」に襲われた。過去の「危機」を正しく把握するには、その様相ならびに「心臓」と「形態」の衰退過程を理解する必要がある。「危機」は、金融や経済だけでなく、地政学、軍事、文化、環境、テクノロジー、イデオロギー、社会、道徳、人口などの面でも生じた。

歴史を振り返ると、「心臓」と「形態」が「危機」にうまく対処して「危機」を遠ざけたこともあれば、「危機」の対処に失敗して「心臓」がライバルに道を譲ったこともあった。往々にして勝者になるのは、君臨する「心臓」と直接やり合う勢力ではなく、そうした紛争から距離を置き、この間に新たな収益源を見出すことに専念した第三の勢力だった。新たな収益源になったのは、新たなエネルギー源やコミュニケーション技術の開発、そして大量生産のモノによるサービスの代替だった。このようにして、新たな「心臓」は、商秩序の新たな「形態」を支配した。

「形態」が移り変わるにつれて、次のような変化が起こった。新たな農産物や工芸品の生産は工業化された。商業、工業、金融、テクノロジーの領域は拡大した。奴隷制は消滅した。エネルギーと情報の生産は自動化された。起業家、商人、銀行家、船主、エンジニア、軍人、芸術家、知識人は、市場や個人の自由の領域を拡大させるために、自分たちの拠点を移動させた。

「形態」が移り変わるにつれて、農民、職人、自営業者、農奴は、賃金労働者になった。金銭的に余裕のある消費者は、以前よりも大きな形式的自由を得たが、そうでない消費者は新たな阻害感に苛(さいな)まれた。富は相変わらず偏在した。

「形態」が移り変わるにつれて、商品の流通と(商品になった)情報の伝達速度は上がった。

「形態」が移り変わるにつれて、共有財の付加価値に占める需要喚起と秩序維持のために必要な部分は増加した。

一方、弱者は相変わらず、災難、空腹、苦痛に苛まれた。農民と職人は、強制労働を強いられた。奴隷制度は表向きには消滅したが、新たな主人に仕えるという名目で、しばしば呼び名を変えて継続した。理性という名の船団は、まだ悪という大海を航海していた。

今日まで、商秩序には九つの連続した「形態」があった。それぞれの「心臓（中心都市）」を列記する。ブルッヘ〔ブルージュ〕、ヴェネツィア、アントウェルペン〔アントワープ〕、ジェノヴァ、アムステルダム、ロンドン、ボストン、ニューヨーク、ロサンゼルスだ。これら九都市の特徴は、大量消費の財やサービス（食品、染料、書籍、金融、繊維、工作機械、輸送手段、コミュニケーション手段、娯楽）をつくり出したこと、テクノロジー（船尾舵（せんびだ）、カラベル船、印刷機、会計システム、輸送船、蒸気機関、内燃機関、電気モーター、マイクロプロセッサ）によって商圏を拡大したこと、貨幣（グロ、デュカート、ギュルデン、ジェノヴィーノ、ターラー、フローリン、ポンド、ドル）が支配的な力を持ったことだ。また、それぞれの「心臓」には、その時代のイデオロギーを代表する芸術家や哲学者がいた。

「形態」では、移動手段が重要だ。中央アジアがメソポタミアを侵略する際に馬を利用したように、ヨーロッパは船尾舵によって勢力を取り戻した。ヴェネツィアは、ガレー船によってブルッヘに勝利した。アントウェルペンは、印刷機によって栄華をきわめた。カラベル船によってアメリカ大陸が発見された。ロンドンは、蒸気機関によって勝利を収めた。ボストンは、新たなエネルギー源（石油）と内燃機関によって権力を手中に収めた……。そしてニューヨークは電気モー

アムステルダム
ロンドン
アントウェルペン（アントワープ）
ブルッヘ（ブルージュ）
ヴェネツィア
ジェノヴァ

ボストン
ニューヨーク
ロサンゼルス

ター、カリフォルニアはコンピュータによって世界を席捲した。

第六の「形態」までは、人類の活動が自然におよぼす影響は軽微であり、可逆的だった。

過去八世紀の経済、技術、文化、政治、軍隊に関するおもな歴史は、都市や国が「心臓」になる、「心臓」であり続ける、「周縁」に成り下がるために用いた戦略によって説明できる。

現在と未来を読み解くには、過去の「形態」、「心臓」、「危機」から法則を導き出す必要がある。

第一の「形態」と「心臓」――ブルッヘ(一二五〇年~一三四八年)

一二世紀末、世界のほとんどの富を生み出していたアジアでは、帝国秩序が続いていた。中国は依然として圧倒的な大国であり、中国の人口は、およそ一億人だった。中国の領土は、宋(南東部)、金(北東部)、タングート族が支配する西夏に分割されていた。宋は、金、そして後にモンゴルを撃退するために画期的な軍事技術(とくに火薬)を開発し、木版や活版印刷を発明したが、外国を征服しようとはしなかった。例外は、シベリアからウィーン郊外までを一時的に征服したモンゴルのチンギス・カン、そしてトルコのティムールだけだ。ヨーロッパ人は、彼らが明日にもドイツにまで押し寄せてくるのではないかと怯（おび）えていた。

ヨーロッパはアジアに魅了されたが、アジアはヨーロッパに関心を持たなかった。よって、ヨーロッパへ旅するアジア人はきわめて少なかった。この時期、マルコ・ポーロは中国（すでにローマ軍が訪れていた）に西洋の文明を紹介し、ペルシアの天文学者ジャマール・アド・ディンは、チンギス・カンの孫で元朝の初代皇帝クビライに自作の地球儀を進呈した。

ヨーロッパでは、いくつかの帝国がまだ存在していた。コルドバのイスラム帝国（商人の世界を拒んだ）をはじめ、フランス、イギリス、ロシアにも、帝国や王国があった。神聖ローマ帝国は少し息を吹き返し、バイキングは、ノルマンディーやロシアへ足を踏み入れ、華々しい成功を収めた。

しかしながら、中心地はこれらの地域ではなく、フランドル地方やトスカーナ地方（これらの後背地は、ヨーロッパ最高の農地だった）の港町に設けられた定期市や、両地方を結ぶ街道沿いに並ぶ定期市だった。定期市には、商人、酪農家、船主、起業家、職人、金貸し、土地を負われた農奴などが集まった。定期市により、農産物の生産と交換が活発になった。これらの新たな都市の郊外での農作業は、相変わらず強制労働だった。農作業と比べると、工芸、織物、金細工などの仕事は、わずかに自由だった。

共有だったモノが、少し私的なモノになった。男性の年間労働時間は二〇〇〇時間を超えていた。女性はもっと働いていた。分業化が進み、農業の生産性は向上した。融資の必要性が生じ、銀行の数が増えた。小麦の価格は、大量生産によって下落した。増加し続ける都市の住民は小麦を消費し、新たな染料を使った羊毛の服を購入できるようになった。新しい機織(はたお)り機が登場した。これらの都市では、地代よりも商売の利益のほうが大きかった。

この時期、音楽（いつの時代も大きな変化を予兆する）は、教会、城、路上から離れ、商人が室内でお金を払って聴くものになった。つまり、それまで無料だった音楽が有料になったのだ。

フランドル地方の小さな都市ブルッヘから少し離れた小さな港ゼーブルッヘでは、活気に満ちた定期市が開かれた。ブルッヘは、津波に襲われたおかげで海へのアクセスを確保し、また向かい潮であっても船が航行できるイノベーション（船尾舵）を利用した。こうして、大型港湾設備がゼーブルッヘに整備された。

まもなくブルッヘの商人は、スコットランド、ペルシア、インドとも貿易するようになった。だが、ブルッヘの港には、砂が堆積するという欠点があった。

ブルッヘの場合、強さは欠乏、威光は挑戦、大胆さは傲慢から生じた。

イタリアから商人がやってきたのは、ブルッヘの税制にも魅力があったからだ。

こうしてブルッヘは、商秩序初の「形態」の「心臓」になった。

後ほど述べるように、ブルッへの例からは、商秩序全般に当てはまる第一法則を導き出すことができる。もっとも、この法則は、商秩序だけに限定された「取扱説明書」であり、人類史における普遍的な法則ではない。

第一法則 すべての「心臓」は欠乏の産物である。

この「形態」の「中間」には、河川や海の沿岸部にあるハンザ同盟、ラインラント〔ライン川沿岸部一帯〕、シャンパーニュ地方〔フランス北東部〕、トスカーナ地方、ヴェネツィアの定期市があった。ヨーロッパのそれら以外の地域の「周縁」にある定期市は、王国〔広大な農地を持つフランス、ポーランド、ウクライナの王国〕に閉じ込められていた。「心臓」と「中間」は「周縁」を相手に、ワイン、織物、銀、ガラスを売る一方で、塩、小麦、木材、毛皮、ライ麦を買い上げた。これらの交換の価格を決めるのは「心臓」だった。

一三四八年、中国から伝わったペストは、それまでになく感染力が強く、このペストが原因になり、三年間でヨーロッパ人口の三分の一が死亡し、ヨーロッパ大陸の都市間のコミュニケーシヨンは途絶えた。国際貿易は停止し、定期市は大打撃を受けた。ブルッヘには、港に堆積する砂を除去する余力はもうなかった。これが、「形態」と「心臓」の変化を促した最初の「危機」だった。

第二の「形態」と「心臓」——ヴェネツィア（一三四八年〜一四五三年）

ブルッヘと同様、当時のヴェネツィアは、広大な干潟の奥にある孤立した小さな港であり、洪水と砂の堆積に常に脅かされていたが、後背地の農業は発達していた。これまたブルッヘと同様、ヴェネツィアは拡大か衰退かの選択を迫られ、ヴェネツィアの総督〔ドージェ〕は拡大を選択した。

ヴェネツィアは、フランドル地方への陸路と、ペルシア、インド、中国への航路を支配し、これらの地域から稀少な商品を輸入した。ブルッヘと同様、ヴェネツィアにも船舶と商業の特権階級、作業場を仕切る職人、貿易の資金を拠出する金融機関があった。そして何よりもヴェネツィアには櫂と帆を同時に使用する新たな船舶「ガレー商船」を大量生産する造船所があった。また、ヴェネツィアは、傭兵によって外敵からしっかりと守られていた。

ブルッヘと異なり、ヴェネツィアは主権国家だった。もっとも、共和国として組織されていたが、権力は一部の家族が握っていた。

当時、主要な金貨（ジェノヴィーノ）を発行したのはジェノヴァ、そして小切手と持ち株会社を発明したのはフィレンツェの織物商だったが、それらを証券取引所、銀行、商社、保険会社の複雑なシステムに組み入れたのはヴェネツィアだった。また、大勢の小口預金者が株主の株式会社に、巨大な貿易船団の組織、各種商業組合への融資、そして傭兵による船団の保護資金の提供をマネジメントさせたのも、ヴェネツィアの総督だった。このときも、軍事面の必要性は商業面の要求と混ざり合い、今度は軍事が商業に従った。

大勢の農民が、都市部に移り住んで賃金労働者になった。労働時間に大きな変化はなかった。人口二〇万人のヴェネツィアは、世界最大の港湾都市になった。

ヴェネツィア共和国は、ヨーロッパからインドを経てアジアにまで至る主要な貿易航路を支配し、おもな商品の価格を決めた。当時の平均的な住民の生活水準を比較すると、ヴェネツィアは、コルドバ、アントウェルペン、アムステルダム、ロンドンよりも一五倍も豊かだった。パリは、これらの都市よりも貧しく、ヴェネツィアとは比較にならなかった。

ヴェネツィアは、一世紀以上にわたって商秩序の「心臓」になった。ヴェネツィアには、パオロ・ヴェロネーゼやジョルジョーネなどの偉大な芸術家が集まり、彼らはこの地で人類史上最高の傑作を生みだした。こうした傾向は、ヴェネツィア後のすべての「心臓」に当てはまる。

「中間」を形成したのは、フランスをはじめとする残りの西側ヨーロッパだった。この時代の「周縁」は、東ヨーロッパ、ポーランドからロシア、北アフリカからビザンツ帝国、アフリカ沿岸部からインドと中国にまで広がっていた。これらの地域では、相変わらず封建的な権力者が農民を支配していた。織物工などの職人は、農民よりもほんの少し自由だった。これらの地域の都市や帝国では、商人は社会の片隅に置かれていた。

一五世紀中ごろ、すべてが変調をきたした。「形態」を維持するための「心臓」の費用が急増したのだ。同業者組合は硬直化した。ガレー船団とヴェネツィアの軍隊は、貿易航路の航行の安全を守るには小規模であり、武装も不充分だった。贅沢な暮らしに慣れたヴェネツィア人は、トルコの軍事圧力に苦しめられても、自分たちの弱点に気づかず、無為無策で過ごした。

一四五三年、ヴェネツィアはとどめの一撃を食らった。すでに旧東ローマ帝国のほぼ全域を占領していたトルコがビザンティウム〔コンスタンティノープル〕を掌握したため、アジアとの貿易が失われたのだ。代替の航路を準備していなかったヴェネツィアは、「心臓」の座を明け渡した。

第二法則　自分たちの権力を確約してくれる軍隊を維持する資金を工面できなくなると、「心臓」は疲弊する。

同時期、世界で人口が最も多く最も豊かだった中国の明では、臣民は外洋船の建造と出国を禁じられていた。こうして世界最大の帝国だった中国は、五世紀にもおよぶ鎖国状態に入った。

第三の「形態」と「心臓」――アントウェルペン（一四五三年～一五五〇年）

フランス、イギリス、ロシア、スウェーデンの君主は、意味のない戦争に没頭し、それまで以上に豪華な宮殿や城の建設に明け暮れた一方（いずれの費用も農民に対する重税で賄った）、港の重要性を軽視した（もっとも、フランス王フランソワ一世は、ル・アーヴルの港を整備した）。

フランドル地方でヒエロニムス・ボスやピーテル・ブリューゲルがヨーロッパ人の想像力を魅了していた時期、コミュニケーションに関する二つの大きなイノベーション（カラベル船と印刷機）により、商人の世界の「形態」と「心臓」は、またしても別の都市へと移行しようとしていた。

ポルトガルの王は、一四三〇年ごろにリスボンで開発された軽量で操縦性の高いカラベル船をうまく利用すれば海洋での権力、つまり、世界貿易を手中に収めることができたはずだ。だが、ポルトガルの王政は貿易よりも、発見、栄華、魂の救済に関心を持った。ポルトガルは、アフリカ沿岸部の探検だけで満足していたのだ。

ポルトガルと同様、セビリアもアメリカ大陸とその金鉱の発見を踏み台にして商秩序の「心臓」になれたはずだ。だが、カトリック教徒の君主たちは、アメリカから略奪した物品を消費することしか考えず、先住民の虐殺に没頭した。それは単なる略奪と虐殺であり、その後に登場する植民地主義でもなかった。さらには、スペインの王がユダヤ人とムーア人を追放したため、スペインの創造的な階級は活力を失った。

中国で発明され、一四五五年にドイツで再発見された活版印刷により、書籍は複製にかかる限界費用がほぼゼロの最初の財になった。印刷機というこのノマド・オブジェにより、商人が必要とする言論の自由、個人主義、理性が培われた。結果として、ユダヤ・ギリシアの哲学的理想が賛美された。そうした傾向も商人階級の利益と合致した。活版印刷により、書籍の所有者は著者でなく出版社になり、大量の書籍が流通するようになった。スペイン人がアメリカ大陸を発見した一四九二年（そしてカスティリャ〔スペイン中部から北部にかけての地方〕からユダヤ人とイスラム教徒が追い出されたころ、ヴェネツィアとセビリアでは、著作権を保護する法律が制定された。

ハプスブルク帝国の属州になり、スペインの植民地にもなったアントウェルペンが新たな「心臓」になった。アントウェルペンには、外国人、とくに、ドイツ、ジェノヴァ、ヴェネツィアの銀行家が集まってきた。アメリカからの資金もアントウェルペンに流れ込んだ。

一五一七年以降、ルターはドイツのすべての公国、次にフランドル地方においても、自分の信者にドイツ語で書かれた聖書を読ませた。教皇庁の腐敗に立ち向かうルターは、カトリック教会と皇帝に対抗するために、ドイツの君主たちと結託し、商秩序を支援し、物質的な豊かさを神の思し召しと見なし、カトリック教会が富に押し付けてきた呪いを解いた。

一五四五年、最盛期のアントウェルペンの人口は一〇万人だった。国際金融の中心地アントウェルペンでは、金、銀、羊毛の価格が決まった。過去の二つ、そしてその後の「心臓」と同様、第三の「心臓」アントウェルペンも港湾都市だった。

第三法則「心臓」が権力を掌握するのは、常にエネルギーあるいはコミュニケーションのイノベーションによってである。

この法則は過去の二つ、そしてその後の法則と同様、少なくとも今日に至るまで、例外なく当てはまる。

一五五〇年、アントウェルペンは「心臓」の座を明け渡さざるをえなくなった。セビリア発の株式市場の危機に見舞われたのだ。この危機を予見できなかったアントウェルペンは、多額の債務を返済できると商人を納得させる余力を持たなかったため、陥落を余儀なくされた。

第四の「形態」と「心臓」——ジェノヴァ（一五五〇年〜一六二〇年）

商秩序では、大きな帝国や王国が重要な位置を占めることはなかった。アフリカ、中国、インド、その他のアジアの地域は、人口密度が高くて豊かだったが、外界にあまり興味を抱かなかったため、世界の力学に影響をおよぼすことがなかった。

当時、ヨーロッパ最大の人口と広大な国土を有したフランスには、中産階級も主要な港もなかった。フランスは、国内市場が非常に大きかったので自国製品を輸出する必要がなく、自国の農産物は輸出に向かない生鮮食料が中心だった。人口のほとんどは農民であり、残りは、使用人、軍人、聖職者だった。職人の数は少なく、商人、船主、金融業者にいたってはさらに稀だった。地代で暮らす貴族は、重税によって大衆の暮らしを圧迫する一方、海洋、港、貿易、（リスクをともなう）商売に関心を抱かなかった。

ポーランドでも他のヨーロッパ大陸の国々と同様、貴族は自国の商人階級の台頭に怯え、外国から商売にやってくる一部の商人を迎え入れるだけだった。これらの外国商人は、ポーランドで買い付けた小麦をヨーロッパ全土で売りさばいた。そうして、中央ヨーロッパでは、ユダヤ教が広まった。

スペインは、相変わらずアメリカからゴールドを持ち帰ることに執着し、スペイン籍以外の船舶が大西洋を航行することを禁じようとした。

ヨーロッパの帝国の中で唯一、イングランドの王室、そしてその農村部と商人のエリート層は、自国の地理的条件の制約から海洋での商業活動に興味を抱き始めた。

当時、イタリア北西部にあるリグーリア州の港町ジェノヴァには、ヨーロッパにおける羊の飼育と織物工業の集積地だったこともあり、市場と通貨の支配者が居を構えていた。ジェノヴァの金貸し（全員がカトリック教徒だった）は、すべての通貨の為替レートを決め、ヨーロッパ大陸の君主の戦争に融資していた（ときには、その敵にも融資して莫大な利益を得ていた）。こうして、ジェノヴァは新たな「心臓」になった。ガリレオのような科学者、そしてリスクをとって未来に賭ける、未来予測のためにあらゆる努力を必要とする銀行家などを中心に、理性は進歩した。ジェノヴァで銀行家のために発明された損益計算という会計手法は、経済と哲学の秩序に革命をもたらした。

第四法則「心臓」になるには、金融と資本の仕組みを熟知しなければならない。

トスカーナ地方〔イタリア中部〕よりも肥沃(ひよく)な後背地を持つジェノヴァは一世紀以上にわたり、芸術、哲学、知性の中心地になった(ピコ・デラ・ミランドラとレオナルド・ダ・ヴィンチの後、ミケランジェロ、ティツィアーノ、カラヴァッジオが活躍した時代)。羊毛と冶金の一大産地になり、ジェノヴァ港の役割は強化された。農民は相変わらず強制労働を強いられていた。工芸品や織物などの労働者は、農民よりもわずかに自由だった。

当時のヨーロッパの主要な港を挙げると、ジェノヴァなどの北イタリアの港以外には、リスボン、セビリア、カディス〔スペイン南部〕、アントウェルペンの港があった。

世界経済のおもな原動力は農業だったため、経済成長は相変わらず遅々たる歩みだった。しかしながら、商人が実業家を支援して経済効率を向上させ、固定化していた社会層がほんの少し自由になると、経済成長は加速し始めた。

しかし、第四の「心臓」ジェノヴァは金融に依存しすぎたため、資本の移動に翻弄された。また、大型の工業イノベーションと強力な海軍の育成を怠ったことも、致命的だった。

一六二〇年、ジェノヴァは予期していなかった金融危機に襲われた。この危機により、「心臓」の地中海からの脱出は決定的になった。

第五の「形態」と「心臓」――アムステルダム（一六二〇年～一七八〇年）

一五八八年、スペインの無敵艦隊がイングランドの沿岸部で撃退されると、（スペイン船が支配していた）大西洋上の商船の航行は自由になった。それから五〇年後、およそ四世紀にわたって大西洋は、商秩序における世界最大の海域になった。

それまでの「形態」におけるのと同様、この「形態」においても、ほとんどの国際貿易は依然として海上で行われ、最も重要な市場は港にあった。「心臓」は、ネーデルラント連邦共和国の首都アムステルダムに位置した。アムステルダムは、フランスの侵攻圧力に悩ませられながらも、ナッサウ家の統治のもとに繁栄した。

それまでの「形態」と同様、この「形態」においても、布の製造などの手作業は機械による生産に切り替わった。このようにして、強制による多くの労働者は、賃金労働者になった。

新たな「心臓」は、（植民地とオランダ総督を中心にする国家の強化を通じて）大衆に大きな疎外感を与えながらも、生産と貿易から得られる富と利益をごく一部の家族の懐に集中させた。これらの家族は、思考、執筆、議論、意思決定に関する大きな自由を獲得し、自分たちの栄華を讃える芸術作品を求め、これらをコレクションした。

アムステルダムには、こうした思考の自由を求めてヨーロッパ中から、商人、芸術家、革新者が集まってきた。一六五〇年ごろ、レンブラントが『夜警』や『織物商組合の幹部たち』を描き、デカルトが神を否定することなく理性を説き、バールーフ・デ・スピノザが、悪に直面することがあってもどうしようもなく孤独で自由な存在である人間に道徳を課すことなく、神と自然が融合する世界に思いをめぐらせたのは、ここアムステルダムにおいてだった。

第五法則 「心臓」の成功条件の一つは、外国からの人材、商品、アイデアに開放的であることだ。

五つめの「形態」の「心臓」は、都市ではなく地域全体であり、国家だった。アムステルダムは農地不足のために自給自足できなかったが、自給自足にはこだわらずに後背地を利用して付加価値の高い農産物（亜麻、麻、セイヨウアブラナ、ホップ）、羊の飼育、染料の開発、紡績の機械化、貴金属の加工に邁進した。そして、これらの製品を輸出する一方で、ポーランドなどから小麦を輸入した。中国の皇帝やインドの王族のコレクションには、この時代のオランダ南西部でつくられたデルフト陶器が見つかっている。

オランダは、ブラジル、アフリカ、東南アジアなどを植民地にし始めた。スペイン帝国が南アメリカで行った略奪と虐殺の帝国支配とは異なり、オランダの植民地政策は、商業的な搾取だった。

アムステルダムの船主は、一五七〇年に自分たちの工廠で開発したフリュート〔輸送用帆船〕の製造をさらに工業化すると同時に、フリュートの大型化と効率化を図った。そして、貿易は常に戦争によって支えられてきたように、海洋はオランダ海軍が支配した。アムステルダムとオランダは、東インド会社と証券取引所によって世界の商秩序における、軍事、金融、商業、工業の中心地になった。世界貿易における信用取引とオランダの通貨フローリンの役割は、銀行券と中央銀行の登場によって、さらに重要になった。

おもなエネルギー源は、相変わらず河川の水流、泥炭、森の木材（船の建造にも利用された）

だった。

一六〇四年、陸地での工業活動の資金が初めて株式会社によって賄われた。これもアムステルダムにおいてだった。

一六八五年、フランスでナント勅令の廃止という悲劇が起こった。このときの住民の一人当たりの収入を比較すると、アムステルダムはパリより四倍も豊かだった。そして、残りのプロテスタント教徒がフランスを離れたり改宗したりした後、この格差はさらに広がった。

いずれにせよ、ほとんどのヨーロッパ人の生活は苦しく、彼らの平均寿命は四〇歳未満だった。中国は、清が二世紀半にわたって支配する帝国になった。帝国の統治に商人の居場所はなく、皇帝は、オランダ商人（ホアキンとダン・クワン）が貿易のために広東に訪れても、無関心だった。

一六〇三年から徳川幕府が統治する日本は、一六三五年に鎖国した〔第三次鎖国令。外国船の入港を長崎だけに限定〕。

一方、ヨーロッパでは、アムステルダム以外にも大西洋に面する港が整備された。フランスでも、ナント、マルセイユ、ル・アーヴル、ルーアン、ボルドーの港は、数千万のアフリカ人を輸送する三角貿易のために整備された。アラブの奴隷商に買われたアフリカ人は、イギリスの植民地だったアメリカに輸送され、ヨーロッパ人が必要とするサトウキビやタバコの栽培の労働力になった。

商人や金融業者は、貿易の自由によってさらなる権力を手中に収め、自分たちの政治力を強化した。新たな芸術家、哲学者、思想家が、次々と現れた。

一六八九年、地主、商人、元貴族の商人によって選出されたイギリス議会は、国王が挙兵して戦争を起こす権利を認めるか否かを決定する権限を得た。

同年、ジョン・ロックは『統治二論』の中で、個人の自由は自然で不可侵な権利だとし、民主政治に関する理論を打ち立てた。長年にわたって個人の自由という権利を有するのは、地主を中心とするごく一部の者だけだったが、他国の状況とは異なり、彼らは利益の追求、貿易、鉱山の開発に積極的に参入した。

同年、フランスではモンテスキューが誕生した。彼は、三権分立と政治的な自由を理論化し、破壊的な書『ペルシア人の手紙』において、フランスの時代遅れと軽薄さを風刺した。

権力を掌握してから一世紀半が経過した一七七五年ごろ、ネーデルラント連邦共和国は、フランスやイギリスとの戦いにおいて、海でも陸でも何度も敗れた。

アムステルダムのエネルギー源は枯渇した。テクノロジーの進歩が途絶えたのだ。アムステルダムの繊維産業は競争力を失った。貿易航路と生活水準の維持に必要な費用がかさみ始めた。ロンドンやリバプールといった港が台頭し始めた。アムステルダムの銀行家は、拠点をロンドンへと移した。

ヨーロッパ全体では、付加価値の大部分は依然として農業が生み出していた。都市部での生産は、おもに手工業だった。

都市部は、不衛生で大気は煙で汚染されていたが、人類の活動が環境におよぼす影響はまだ軽微だった。一八世紀末、大気中の二酸化炭素濃度は、まだ二八二ｐｐｍ（大気中の分子一〇〇万個中に占める温室効果ガスの分子の数）だった。この数値は、気候変動を引き起こすとされる三五〇ｐｐｍという基準値に遠くおよばない。だが、その二〇〇年後、大気中の二酸化炭素濃度は、この基準値を突破した。

それまでと同様、「心臓」の終わりを告げたのは金融危機だった。一七八八年、ヨーロッパ中の金融関係者は、金融の中心地アムステルダムには融資を返済するだけの余力はないと見なした。オランダでは、銀行の破綻が相次いだ。船主は、オランダやフランスの有能な金融業者の後を追い、商人の「形態」で最も安全で活気に満ちた都市ロンドンへと移り住んだ。イギリスから独立したばかりのアメリカは、ヨーロッパ以外の地域で「周縁」から「中間」へと移行した初の国になった。こうして、資本主義の「心臓」は北海を横断した。

第六の「形態」と「心臓」——ロンドン（一七八〇年～一八八二年）

中国の人口は、コメの年三回の収穫によって一七四〇年の二億人から一八四一年には四億人になった。しかし、世界第一位の経済大国である中国が孤立主義から脱することはなかった。二〇〇〇年の歴史を持つ帝国は、まだ勢力を保っているかに見えた。だが、実態は異なった。中国の富と市場を狙うヨーロッパ人の一撃により、中国はあっけなく崩壊した。

イギリスは、石炭の採掘、羊毛の織物、ガラスの製造の技術を習得した。豊富なエネルギー源により、新たな繊維の加工は機械化された。イギリスは、エジプトで古くから知られていた綿花をインドに持ち込んだ後、イギリス東インド会社を通じて拡大し続ける植民地（インド、北アメリカ、南アジア）で綿花を栽培した。こうして、イギリス商人は、羊毛、綿花、絹、皮革、錫（すず）、タバコ、藍を植民地から安値で買い上げ、衣服などの付加価値の高い物品を植民地に高値で売りつけた。世界の交易条件を決めるのは、ロンドンの銀行と船会社だった。

一七六八年、新たな紡績機（動力源は、まだ河川の水流だった）の登場により、繊維工業の生産性は飛躍的に向上した。しかし、河川を動力源とするだけでは、エネルギーが不足した。イギリスには高い山脈がないため、急流を利用する水力発電をつくる余地がなかった。また、稀少な森林の木材は、船の建造のために残しておく必要があり、燃やすわけにはいかなかった。

新たなエネルギー源の探求を余儀なくさせたのは、またしても欠乏だった。新たなエネルギー源になったのは、イギリスに豊富にあった石炭だった。そして、ジェントリ〔イギリスの下級地主層〕は石炭を利用するために、フランス王が無視したフランスのイノベーションである蒸気機関を利用した。イギリスのジェームズ・ワットが特許を取った蒸気機関により、イギリスの綿紡績の生産性は、一〇年間で一〇倍も向上した。歴史の常として、誰がテクノロジーを発明したのかは、あまり重要でない。重要なのは、発明されたテクノロジーが利用される、文化的、金融的、政治的な環境だ。

それまでの「心臓」と同様、新たな「心臓」の商人による世界的な権力の掌握は、きわめて厳格な工業政策ならびに断固とした軍事行動の結果だった。イギリスはオランダとの三回にわたる戦争の後（フランスもこれらの戦争によって疲弊した）、大西洋をついに制覇した（とくに、オランダがスペインから奪い取ったアメリカ大陸からの貴金属の貿易）。

一七七六年、イギリスがアメリカ大陸の植民地の一部の支配権を失ったとき、アダム・スミスは、多くの著者の業績を統合し、形成されつつあった市場経済に関する初の著作『国富論』を出版した。この本の執筆に際して、スミスは多くの書物を参考にした。たとえば、財の流通は人体における血液の循環のようなものだと説く書物や、経済主体は一般的に個人の利益のみに従って合理的に行動するという仮説を立て、この仮説から社会を描写するには力学モデルが最適だと解説する書物などだ。スミスをはじめとするこれらの著者は、「経済と政治のリベラリズム（市場と民主主義）により、人間の普遍的な解放という理想が形成される。そしてこれは達成可能だ」と訴えた。一方、これと似通った功利主義の思想を説く者もいた。

イギリスには、「心臓」になるためのすべての条件が揃っていたのではない。イングランドの人口（一〇〇〇万人）はアイルランドよりわずかに多いだけであり、イングランドはアイルランドと同様に貧しかった。フランスと比較すると、人口は三分の一、一人当たりの収入は二分の一だった（オランダの六分の一）。イギリスは、アメリカという主要な植民地を失ったばかりだった。

このとき、フランスにも「心臓」になるチャンスがあった。フランスには、技術者、市場、技術があった。フランスの人口は急増していた。ルイ一四世〔一六三八年〜一七一五年〕の死後に二二〇〇万人だった人口は、フランス革命〔一七八九年〕前夜には二九〇〇万人になっていた。当時、フランスの人口の半数以上は、二五歳未満の若者だった。この時期のフランスでは、知性と創造性が湧出していた。当時のヨーロッパの権力者は、ヨーロッパの主要言語だったフランス語で暮らし、書物を読み、文章を書き、交渉していた。フランスでは、一九世紀に登場する主要な機械が発明されたが、フランス人はそれらの具体的な用途を見出すことができなかった。フランスでは、代議制民主主義のおもな概念が発達したが、代議制民主主義が実施されることはなく、民主主義という希望は、ナポレオン・ボナパルト〔一七六九年～一八二一年〕によって一掃された。フランスには、主要な港、強力な海軍、外国のエリートを迎え入れる意欲、工業機械に対する好奇心、長期的な国家計画がなかった。フランスは相変わらず、先祖代々の地主と寄生虫のようなエリート層に支配された状態だった。エリート層は、イノベーションを潰しにかかり、貿易を蔑み、レント（超過利潤）を独り占めし、国家に寄生し、大衆を抑圧して彼らを飢え死にさせた。

このときも、ある国（フランス）が別の国（ネーデルラント連邦共和国）を軍事的に打ち負かそうとしていたとき、第三の国（イギリス）が権力を握った。またしても「心臓」の行方は、戦争によって決まった。すなわち、商人、知識エリート、金融関係者は、紛争地域から脱出し、より安全な土地へと移住したのだ。

一七九七年、一二〇〇代続いたヴェネツィア共和国最後の総督がナポレオン・ボナパルトの命令によって退位したとき、フランスのおもな金融業者はロンドンへと移住した。ヨーロッパのおもな資本は、ヨーロッパ大陸の紛争から逃れてロンドンで運用されるようになった。二〇年後、国際貿易の主要通貨は、オランダの通貨フローリンに代わってポンドになった。

フランスを市場民主主義へと導くはずだったフランス革命が独裁政権を生み出し、イギリスがヨーロッパ大陸の市場から締め出されると、イギリス商人は世界中の海に出航した。イギリスの商船隊は、すぐに世界最大になった。

当時の商秩序の港を重要な順に列挙すると、二大港はロンドンとリバプール、次に北方圏の港（ロッテルダム、アントウェルペン、ブルッヘ）とル・アーヴルの港だ。そしてかなり間をあけ、イギリス人が植民地時代にボストンとニューヨークにつくった二つの港、そしてさらに間をあけ、香港につくった港と続いた。

急変が訪れた。蒸気機関を基盤にする工業が始動したのだ。蒸気機関を利用する織物機械がつくられ、しばらくすると、汽車の走る鉄道が開通した。

一六世紀末の囲い込みとともに始まった農民のプロレタリア化は、農民が都市部に移住して工場労働者になると加速した。結果として、彼らの労働条件はさらに悪化した。

女性の社会的地位をめぐって反抗する女性が現れたが、改善されることはなかった。

一八二五年、付加価値において一国の工業が農業を上回った。これは、史上初めてのことだった。

一八五五年、イギリス人の消費全体に占める食費の割合は、三分の二にまで低下した（イギリス以外の国では数千年以来、九〇％以上だった）。しかしながら、イギリスの労働者人口全体から見ると、工場労働者の人口は、農民、家事使用人、兵士に次いで第四位だった。年間労働時間はまたしても急増し、三五〇〇時間になった。一八五一年に一六〇〇万人に達した人口は、一九世紀末までに倍増した。

それまでと同様、進歩は、往来の自由、新たなエネルギー源の利用、新たな船の開発によって実現した。

一八五〇年、イギリスでは、乗客、物資、情報を運ぶために、帆船と馬に代わり、汽車、蒸気船、電信が利用され始めた。こうした傾向は、商秩序の初期から進行していたグローバリゼーションを加速させた。

権力は商人から実業家へと移行したが、金融関係者は相変わらず権力を握っていた。そして、フランス語に代わって英語が商業と外交の言語になった。象徴的なのは、フランス皇后ウジェニー〔ナポレオン三世の皇后〕を顧客に持つイギリス人シャルル・フレデリック・ウォルトが、オートクチュールの基盤を築いたことだ。

それまでの五つの「形態」と同様、六つめの「形態」では、新たなサービスが工業製品によって提供された。今回の場合、それは汽車を用いた公共交通機関だった。

言語、文化、料理、音楽の多様性は失われた一方、生産されるモノの多様性は増加した。

この時期、ロンドンをはじめとする工業都市では、呼吸困難になるほど大気汚染が深刻化した。大気中の二酸化炭素濃度は二九五ｐｐｍに達し、気候変動を引き起こすとされる三五〇ｐｐｍに近づいた。

過去の「心臓」と同様、ロンドンは、ディケンズ、マルクス、ダーウィン、ターナーなど、世界中の革新者、創造者、実業家、探検家、銀行家、知識人、芸術家、反逆者の出会いの場になった。

大英帝国は世界を牛耳った。だが、イギリスの工場労働者、子供、女性、農民は、悲惨な暮らしを強いられていた。国家はあらゆる社会的支出を抑制しているのにもかかわらず、国の財政は苦しくなった。イギリスでは、一部の家族への富の集中が加速し、これらの家族は大きな自由を得た。イギリスの民主主義の初期段階は、市場とともに進行した。大学には相変わらずジェントリの息子たちだけが通った。選挙権を持つ中産階級の人口は、少しずつ増加した。女性には相変わらず選挙権がなかったが、女性は選挙権を求めるようになった。

第六法則　強権的な権力者であっても、商人や実業家が必要とする政治的な自由を抑制し続けることはできない。

このイギリスの世紀に、フランスなどの「中間」の国々は、イギリスに対抗しようとした。だが、フランスは相変わらずロシアとともに「中間」だった。中国のGDPは依然として世界の四分の一以上を占めていた。インドやアフリカ(一九世紀末の人口は、まだ一億人ほどだった)などの「周縁」では、苛酷な搾取が横行していた。

イギリスの権力の台頭には、経済学者、哲学者、学者が伴走した。トマス・ロバート・マルサスは人口の増加に警鐘を鳴らし、レオン・ワルラスは「市場こそが全員にとっての調和のとれた均衡を生み出す」という証明を試みた。ジャン゠バティスト・セイとデヴィッド・リカードは、国際貿易の法則を考察した。チャールズ・ダーウィンは生物進化論を説いた。亡命先のロンドンからカール・マルクスは、経済を歴史の側面と捉え、経済は組織的な力と破壊的な力との永続的な闘いによって突き動かされると解釈した。マルクスの考える資本主義は、資本家がモノとヒトを商品に変えてそれらから剰余価値をかすめ取ることができるまでの間、世界を支配し続けるシステムだった。

一九世紀、新生アメリカは、先住民を大虐殺したために閑散となった土地に大量の移民を迎え入れた。既得権者や貴族は存在せず、商人に仕える奴隷のいるアメリカ社会は、アダム・スミス以来の経済学者や哲学者が思い描いた概念に近かった。すなわち、国家の役割を最小限にした不労所得のない市場民主主義だった。

一八八〇年以降、プロイセン（その後のドイツ）、フランス、アメリカが、イギリスに肉薄し、第六の「形態」は弱体化した。イギリスは大英帝国の保守管理コストを工面できなくなった。中国は閉鎖的な状態を維持した。日本は一八六八年〔明治元年〕から商秩序に加わった。またしても、「心臓」の支配層は未来予測の能力を失った。一八八二年、新たなテクノロジーの登場や大発見によって、金融市場ではバブルが発生し、ロンドンのシティでは、銀行の破綻が相次いだ。金融関係者は、ロンドンの金融市場では世界経済を管理できないと見切った。大英帝国が依然として華やかであり、イギリスが今後も長きにわたって世界一の大国であり続けると強弁しても、「心臓」はイギリスから離れようとしていた。

プロイセンがドイツ帝国という巨大勢力になろうが、フランスが相変わらず「自国こそが《心臓》だ」と主張しようが、ヨーロッパにはイギリスから「心臓」を引き継ぐ能力のある港と国はなかった。

商秩序の七つめの危機により、ヨーロッパにあった「心臓」は大西洋の向こう側へと移った。

第七の「形態」と「心臓」——ボストン(一八八二年〜一九四五年)

一二世紀にブルッヘ〔ブルージュ〕で誕生した「心臓」は、西方への旅を続けた。ロンドンは「心臓」をボストンに明け渡した。当時のボストンはアメリカの主要都市であり、工業と貿易の中心地だった。アメリカの権力者は、馬、馬車、乗合馬車に代わる私用の新たな大量工業製品(自動車)に魅了された。

内燃機関が発明されたのは一八五九年のフランスにおいてだったが、石油が発見されて一八八〇年から内燃機関が工業的に利用されたのはアメリカにおいてだった。内燃機関の最初の用途は、工作機械とトラクター(アメリカの農業に革命をもたらした)だった。そして、自動車と飛行機にも用いいれた。

特筆すべきは、文化的な変化だった。ヨーロッパでは、自動車はあくまで馬車の代替品に過ぎなかったが、アメリカの入植者は、移動時間の短縮に固執する極端な個人主義者であり、列車で他人と乗り合わせることに耐えらない起業家気質の人たちだった。この文化的な違いが、アメリカでの自動車の大量生産を加速させた。

第七法則 「心臓」が権力を握るのは、サービスをモノに変化させることによってである。

アメリカでは、自動車が登場する直前にも、多くのイノベーションが登場した。たとえば、蓄音機（モノとサービスの大量生産の前兆になった）、電話、電球だ。そして、電気モーターの登場により、エレベーターを設置する高層建築物が乱立した。都市部の高層化は、間接的に都市部への人口集中と白人家庭の少子化を促した。白人家庭で働く使用人は、ほとんどの場合、終結したばかりの南北戦争後に解放された奴隷の子供だった。

この時期、アメリカの資本主義は食事の準備と消費の時間を節約するために、工業食品（コーンフレークス）とファストフードによって和（なご）やかな食卓を大量生産物に変えた。

二〇世紀初頭、ボストンとニューヨークの港は、ロンドンの港を追い抜いた。こうして市場を制御し、未来を占うために必要なあらゆるものは、アメリカ東海岸に集中した。商秩序の「形態」全域において、経済成長が加速した。アメリカはラテンアメリカのほぼ全域とフィリピンから韓国までのアジアの一部を、政治的、軍事的、経済的、文化的に支配した。アメリカがヨーロッパにおよぼす影響は急拡大した。

同時期、マックス・ヴェーバーなどの社会学者は、資本主義を成功させる条件の一つはアメリカで支配的なプロテスタントの精神だと説いた。

経済学者は、国の役割を理論化し、金利の動向を予測し、株と債券の値動きを見通し、消費者と預金者の行動を推論する方法を考察し始めた。

最後の帝国の一つの中心都市だったウィーンでは、ジークムント・フロイト、シュテファン・ツヴァイク、グスタフ・マーラー、ヨハン・シュトラウス、オスカー・ココシュカなどが急進的な近代性を生み出した。しかし、彼らのほとんどは後に亡命した。

一九〇七年、アメリカの中央銀行であるＦＲＢ（連邦準備制度理事会）は、国際貿易の主要通貨をドルにした。理論上、それまでの通貨と同様、ドルは金本位制だった。

激しい社会闘争のおかげで、アメリカの工場労働者の賃金は、比較的高かった。こうして彼らは、食料、衣料、自動車を購入する中産階級になった。デトロイトのヘンリー・フォードの自動車組み立てライン（シカゴの食肉処理場の流れ作業を模倣）で製造されるＴ型フォードにより、一九〇八年から一九一四年にかけて、自動車の価格は半値になった。

すべては、個人に新たな自由をもたらす道具である自動車を中心に展開した。そして、すべてはアメリカ東海岸に誕生した中産階級を中心に構成された。そのときの光景は、ヘンリー・ジェイムズの小説や、ジェームズ・マクニール・ホイッスラーの絵画に見事に表現されている。

一九一四年八月、一〇〇〇年以上の歴史を持つ中華帝国がアメリカとヨーロッパの攻撃、とくにアヘン戦争によってあっけなく崩壊し、アメリカによって西洋化した日本が大国になる中、ひと昔前のようなヨーロッパ帝国間の戦争が始まった。イギリス、フランス、ドイツ、オーストリア、ロシア、オスマントルコは、すでに自分たちのものではなくなった権力をめぐって戦った。ロンドン、モスクワ、ウィーン、ベルリン、パリでは、自国民が虐殺に巻き込まれているのにもかかわらず、各国の権力者たちは相変わらず饗宴に興じていた。

一九二〇年、ヨーロッパでは、第一次世界大戦終結に続いてスペイン風邪と（誤って）呼ばれたアメリカ発の疫病が流行し、ロシアでは、帝国体制は崩壊したが、別の権威主義的な体制が登場した。アメリカでは、ラジオ、洗濯機、冷蔵庫が登場した。アメリカの家庭の半分には、電気、ガス、水道、さらにはガスが供給されていた。中産階級は自宅に浴室を持つようになった。

経済学者は企業および（民主的かどうかに関係なく）行政においても発展し始めた官僚制の役割について考察した。フリードリヒ・ハイエク（オーストリア生まれのイギリス人）などの自由主義の経済学者は「官僚制は破壊すべきだ」と主張した。一方、ジョン・メイナード・ケインズは、需要ならびに社会的に重要な関心事になった雇用の維持のために官僚制を擁護した。両陣営とも、第一次世界大戦から異なる着想を得た。

価格、雇用、金利に関するデータを計測するために会計手法の利用が始まった。また、一国の経済状態に関する体系的な統計（「国民経済計算」と呼ばれるようになった）の作成が始まった。

こうして一九三四年、サイモン・クズネッツの研究によってGDPという概念が登場した。最初は、機械式の計算機を用いて、過去を描写して未来をほんの少し垣間見るために集計したデータを比較してデータ間の関連性を見つけ出した。もっとも、経済学者の間では、未来を理解するための理論に関する合意はなかった。いずれにせよ、これらのデータにより、新たな歴史的、地政学的な物語が語られるようになった。ロシアでも、新政権は計画する国内生産を数値化しようとした。

第一次大戦後の一〇年間で、世界の自動車経済の中核はアメリカへと完全に移行した。一部の独裁国家を除き、生産装置が効率化したために、一国だけでは需要不足を補うことができなくなった。一九二九年、予期せぬ過剰生産によって「大恐慌」と呼ばれる大危機が勃発した。この危機は、瞬く間にボストン以外の商秩序にも広がった。結局、商秩序は新たな世界大戦に突入することによって、この危機から脱出した。

第八の「形態」と「心臓」——ニューヨーク（一九四五年〜一九七三年）

第二次世界大戦により、ヨーロッパとアジアでは、五〇〇〇万人の犠牲者が出た。自国領土の被害を免れたアメリカは、住宅の再建と日用品（価格は急落していた）に対する世界各地の需要を手に入れた。世界の人口は二三億人に達した。「心臓」は、ボストンから三〇〇キロメートルほど離れたニューヨークへと移ろうとしていた。ニューヨークには、マーケティングや広告などの主要産業があった。

それまでの七つの「形態」と同様、第八の「形態」の誕生には、有償および無償のサービスを新たに大量生産する機械によって代替する必要があった。よって、第八の「形態」には、文化的、政治的、社会的、技術的、金融的、経済的な条件が整っていなければならなかった。農業、繊維業、輸送業が工業化され、とくに列車と自動車が普及すると、主婦や家庭内労働者が提供する家事サービス（掃除、洗濯、料理など）は、大量生産される家庭用電化製品（洗濯機、冷蔵庫、調理器具、そしてラジオとテレビ）が代替するようになった。

都市化による少子化の進行は、家庭内労働者に代わる家庭用電化製品の市場を急拡大させた一方、アメリカの家庭内労働者の人口は、一九二〇年の四〇〇万人から一九五〇年には三〇万人へと激減した。

それまでの「形態」と同様、第八の「形態」では、農民や職人の子供は不安定な賃金労働者になり、工場労働者の子供はホワイトカラーになった。富の集中は加速した。女性の社会的な地位は改善されたように見えたが、実際は家庭に閉じ込められた状態にあった。支払い能力のある消費者は新たな自由を手に入れたが、そうでない市民は新たな疎外感を味わった。ニューヨークは、消費を喚起する金融、広告、マーケティングの中枢になった。

女性向けの雑誌やフェミニスト運動は、女性に消費者としての新たな地位を受け入れるように促すことによって、消費文明の興隆に一役買った。メディアの財源において大きな役割を占める広告では、「家の掃除は女性の仕事」という前提があった。市場は女性を家事から解放するという口実のもとで、女性の疎外を声高に叫んでいたのだ。

この新たな「形態」では、広告とマーケティング、そして国の役割が強化された。広告とマーケティングは消費を喚起し、国は、大型インフラ、学校、医療、警察、軍隊、刑務所など、消費者が必要とする公共財の費用を拠出した。官民の官僚制の黄金時代だった。ＧＤＰは、一国が生み出す富を示す確かな指標になった。

第八法則　何かを売るには、需要喚起と資金調達の術を学ぶ必要がある。

第八の商秩序の「形態」は、西側ヨーロッパに到達した。家族を中心に再編成されたこの「形態」は、当時のイタリア、スペイン、ドイツ、フランスに残っていた独裁的なイデオロギーと合致した。というのは、これらの国のイデオロギーも、政治プロジェクトの中核に家族を掲げていたからだ。

当時、ジョン・ケネス・ガルブレイスなどの経済学者は、「大企業は国家を支配し、自分たちの論理を押し付けるようになる」と警鐘を鳴らしたが、ミルトン・フリードマンなどの経済学者は、「国家は企業の活動に口出しすべきではなく、国家と中央銀行の役割は極力なくすべきだ」と説いた。

マクロ経済学とミクロ経済学が、区別されるようになった。ケネス・アローなどのミクロ経済学の創始者は、（当時、急増していた）需要が供給によって制御される医療などの共有財の分配など、新たなテーマについて語った。また、大勢の経済理論家は、複雑な数理モデルを用いて金融市場の推移を予測しようと試みた。

同時期、アメリカと並んで第二次世界大戦の偉大な戦勝国ソ連の経済モデルを称賛する経済学者もいた。彼らはこの経済モデルを参考にして国家による計画経済を実施し、商秩序からの脱却を目指すべきだと訴えた。

一方、新たな消費財の登場により、ノマディズムへの進行が加速した。一九四七年、電池とトランジスタにより、ラジオとレコードプレーヤーは携帯できるようになり、若者はダンスパーティ以外の場所（つまり、親の目の届かないところ）でも踊ることができるようになった。こうして、ジャズ、ロック、ポップスなどの新たな音楽が登場し、性の解放が起こり、若者は欲望と反乱の世界に浸ると同時に、それまで大人の特権だった消費活動にも加わるようになった。

自分たちの歌、音楽、踊りを奪われたアメリカの貧民（ほとんどが黒人）は、貧困地区で蜂起した。

それまでと同様、音楽、欲望、性欲が、商秩序の活力だった。

白人の中産階級は、消費するために多額の銀行ローンを組んだ。一九五四年から一九七三年にかけて、アメリカの家計の融資残高は四倍になった。

ニューヨークは、世界最大の都市になった。

アメリカのGDPの世界シェアは、一九五五年には三〇％近くだったが、一九六〇年代初頭になると二五％弱にまで落ち込んだ（現在も同様）。

国際貿易は、一九五七年にほとんど偶然に発明されたコンテナによって世界の生産量の増加ペースに追いつくことができた。

一方、敗戦国だった日本は、復興という険しい道のりを歩んだ。ヨーロッパも同様だった。一九四九年の時点で比較すると、アメリカの農業にはかなり以前からエンジン付きトラクターが導入されていたが、フランスでの畑のおもな動力源は、およそ二〇〇〇万頭の輓馬（ばんば）だった。

一九五七年、ローマ条約によってヨーロッパ経済共同体が設立されたとき、設立した六ヵ国の人口は一億六〇〇〇万人だった。彼らの多くはまだ農民だった。

「周縁」では、最初にインドとナイジェリア、次にイギリス、フランス、オランダ、ベルギーの植民地が独立した。

アメリカはベトナムやキューバなどにおいて、ソ連の世界制覇という野望に直面した。帝国秩序の化身、核保有国、宇宙開発の先駆者であるソ連は、共産主義を標榜し、資本主義は破綻寸前だと述べ、アメリカに対抗する姿勢を強めた。

ソ連の指摘通り、第八の「心臓」は、一九七〇年代初頭から疲弊していた。国の行政、軍隊、銀行や企業の管理業務による需要の創出、広告費、消費活動と住宅に対する融資が、経済全体の生産性の重荷になった。工業と行政で働くホワイトカラーのサービスが自動化されないため、労働と資本の生産性は低迷した一方で、アジアで共産主義と戦うためのアメリカの軍事費、貧者の暴力を抑え込むための警察費、社会支出は増加した。

資本収益率は低下した。アメリカの鉄鋼業の投資額は、日本、韓国、ドイツなどの新たな勢力と競い合うために必要な額の半分だった。アメリカの革新的な企業は、資金不足に陥った。ニューヨークは未来予測の能力を失った。

一九七三年、石油をはじめとする一次産品の予期せぬ価格高騰により、ドルの信頼は失墜し、第八の「形態」は疲弊した。アメリカは、自動車と工作機械の輸出において世界第一位の座から陥落した。アメリカの対外債務残高は、対外資産残高を上回った。

アメリカの凋落は確実視された。一八世紀にポーランドがネーデルラント連邦共和国の穀倉だったように、超大国だったアメリカは繁栄する日本の穀倉地帯にすぎないと揶揄された。

多くの識者は、ニューヨークという「心臓」が衰退期に入ったのは確実だと請け合った。だが、この衰退から利益を得るのは誰なのかという疑問が残った。

世界の人口が四〇億人に達したとき、商秩序の終焉と共産主義の勝利を予想する者がいた。

世界第二位の軍事大国になったソ連は、商秩序に代わる新たな秩序を自分たちが押し付ける番が訪れたと考えた。一党独裁、集団所有、生産と分配の計画というソ連の社会モデルは、植民地から独立した第三世界の革命家を虜にし、中国、東南アジア、アフリカ、ラテンアメリカへと広まった。しかし、このモデルの根本的な弱点は隠蔽されていた。とくに重要なのは、全体主義の体制では、イノベーションと起業家精神の宿る社会を維持するのは不可能だという点だった。

予言者の中には、商秩序は維持されるが、「心臓」はニューヨークから東京へと移ると語る者もいた。事実、日本は、ついに自分たちの番が訪れたと信じるだけの理由を持っていた。第二次世界大戦後、急速に復興した日本には、資金力、工業力、技術力があった。資源の乏しい日本は、原材料を輸入するために工業製品を輸出する必要があったが、国際貿易で大成功を収めていた。一九八五年ごろ、日本はアメリカの最大の債権国になり、アメリカの象徴的な企業や不動産を買い漁った。

さらには、世界の主要港は、東京、大阪、シンガポール、香港というように、太平洋に面した港になった。

しかしながら、ソ連も日本も失敗した。

一九七〇年代末以降、ソ連は未曾有の経済ならびに政治の危機で身動きがとれなくなった。そして一九九〇年、ソ連はついに崩壊へと至った。さらには、ソ連の崩壊とともにヨーロッパの共産圏も崩壊し、これらの国々はEU加盟を目指した。

日本の場合も、少子化、女性の労働市場への参加、外国人の招聘、銀行システムの近代化、円高対策、個人主義と自発性の促進など、商秩序の「心臓」に必要な課題を解決できないことが判明した。

第九の「形態」と「心臓」――カリフォルニア（一九七三年～二〇〇八年）

そのとき、新たな「心臓」がアメリカに現れた。アメリカに「心臓」が宿るのは、ボストンとニューヨークに次ぎ、三度目だった。場所は、メキシコの国境からカナダの国境に挟まれた太平洋に面したカリフォルニア州だった。

カリフォルニア州は、一世紀前から活気のある地域だった。油田と金鉱が発見され、映画、電子機器、航空機などの産業の発祥地でもあった。一九四五年以降、複数の世界的に著名な大学と研究所があるカリフォルニア州からは、デジタル技術を応用する発明者たちが誕生した。カリフォルニア州は地震が多発する地域でもあり、これが生活に緊張感をもたらし、住民の精神には、生きることの喜びと新しさへの探求心が満ちていた。

過去の「心臓」と同様、カリフォルニア州も、サービスを工業化することによって頭角を現した。カリフォルニア州が工業化したのは、企業や役所で働くホワイトカラーが提供するサービスだった。先ほど述べたように、「心臓」だったニューヨークの収益性にとって、彼らのサービスは足かせになっていた。

今回の場合も、権力を掌握して新たな「心臓」になったのはサービス（金融と事務作業）の工業化によってである。

それまでの「形態」と同様、カリフォルニア州の「形態」に必要な技術は、かなり以前から存在した。一九二〇年代にはパンチカード式の電算機が登場し、一九四〇年代には軍事用のコンピュータが利用されていた。一九七一年、マイクロプロセッサ（小さな四角形のシリコンに情報を記憶および処理する無数の装置を埋め込んだ電子部品）の登場により、新たな電算機コンピュータの開発が可能になった。コンピュータはホワイトカラーの提供するサービスを自動化した後、さまざまなことに利用された。

一九七六年にパソコンが発売された後、携帯電話が登場し、誰もが自分の居場所とは関係のないアドレス（携帯電話の番号やメールアドレス）を取得できるようになった。すなわち、ノマド・アドレスだ（私が今から二〇年以上前から予想していたノマド・グッズの一つ）。

同時に、インターネットが誕生した。インターネットは新大陸の発見に相当した。このヴァーチャルな大陸には、商業、芸術、メディア、政治など、さまざまな活動のための領土が無限につくられた。

インターネットと携帯電話は、人々をつなげることによって大勝利を収めた。一九九二年の時点で私が「七つめの大陸」と呼び、その潜在性がすでに明らかになっていたインターネットは、快進撃を続けた。また、日増しに勢力を増す携帯電話は、史上最大の商業的成功を収めた。携帯電話の数は、まもなく世界の人口を上回るだろう。

男性用、そして女性用のモノに続き、これらのデジタル技術により、この「形態」では、若者に提供するサービスは、モノによって代替されるようになった。娯楽や出会いの新たな手段がつくり出されたのだ。

第九の「形態」は、今日でも多くの経済学者や社会学者が説く「ポスト工業化社会」ではなく、逆にサービスを新たな工業製品に変えることを目的とする「サービスの工業化社会」の到来だ。この「形態」においても、「心臓」の勢力を確約するのは工業だ。すなわち、サービスと自然を人工化する工業である。

この分野には、カリフォルニア州を拠点にする外国人によって設立された企業が多く、これらの企業は世界のトップに君臨している。

第九法則「形態」の移り変わりにともない、工業製品はサービスを代替し、自然をさらに人工化する。

そのとき、大きな変化が起こった。一九八〇年代、労働組合の弱体化、雇用制度の解体、国際競争の激化、資産格差の拡大、オートメーション化の推進により、資本が付加価値全体に占める割合は三三％から五七％、さらには六二％にまで上昇した。この労働分配率の低下の影響から免れたのは、ごく一部の有能な従業員だけだった。資本家の権力はかつてないほど強化され、資本家は従業員にまともな賃金を支払わなくなった。

しかしながら、「中間」が資金を提供するため、公的および民間の債務が「心臓」を弱体化させることはなかった。国際金融システムは、最も収益率の高い投資を己の勘定で実施して自身の利益率を向上させるために「中間」の資金を利用した。

その間、多くの経済評論家は、アメリカの衰退の可能性、ＥＵの弱点、中央銀行の役割などについて、相変わらず議論を戦わせていた。また、マクロ経済やミクロ経済の予測モデルの構築に必死になって取り組む者もいたが、これらのモデルでは、せいぜい数ヵ月先のことしか予測できなかった。一方、気候学者はさまざまな知見を利用し、自分たちの研究対象の長期的な推移をきわめて正確に描き出すモデルを開発した。

一九八〇年代末、常に債務超過の商秩序は、世界中に広まった。ラテンアメリカと東ヨーロッパでは、独裁政権が次々と倒れた。すべては、法の決まりのない市場が支配した。資本は万能だった。哲学者や思想家の中には、民主主義も地球全体に広がり、「歴史」はすべての国において、市場民主主義が不可逆的に普及する物語になると予想する者さえいた。だが、この予想はすぐに外れた。

世界のGDPの伸び率は加速し、年率四％以上になった。モノの国際貿易は過去最高を記録した。銀行と投資家は、完全な投機取引によって巨額の富を手にした。

世界のインフレ率は一九七三年まで暴走したが、その後は低下していた。金利が低下し、借り手は大きな恩恵を受けた。多くの国では、第九の「形態」の饗宴が始まった。一九八〇年から二〇〇七年にかけて、世界のGDPはドル換算で二・四倍になった。もっとも、「周縁」に属する大半の国々の大衆の暮らしぶりは、相変わらず貧困線を下回っていた。

一九八八年、大気中の二酸化炭素濃度は、気候変動を引き起こすとされる三五〇ｐｐｍを突破した。現在でも軽視されがちな大気汚染により、不可逆的な事態に陥る恐れが生じた。

世界各地で戦争とテロ事件が勃発した。二〇〇一年、アメリカは、ニューヨークの金融街にある二つの主要な建物が破壊されるというテロ事件に見舞われた。

一九八〇年から二〇〇七年（第九の「形態」の絶頂期）にかけて、アメリカはまだ世界を支配していた。アメリカの軍事力は世界で断トツであり、アメリカのGDPの世界シェアは二五％ほどであり、アメリカの音楽や映画は全世界を圧倒していた。

しかしながら、アメリカの労働者の賃金は低下していた。アメリカで生み出される富の半分近くは全世帯の一％だけが手にした。カリフォルニア州では、子供の五人に一人は貧困線以下の暮らしを強いられていた。

ヨーロッパ諸国では一九九五年から二〇〇七年にかけて、一人当たりのGDPは、それまでの数値のおよそ三分の一上昇した（ロンドンとルーマニア北東部では、一五倍くらいの格差があった）。二〇〇七年、EU加盟国の数は二六になり、その人口は四億九三〇〇万人になった。

同時期、中国は年率一二％という驚異的な成長を遂げ（GDPは三〇年間で三二倍）、一人当たりのGDPは、一九八〇年の三〇〇ドルから二〇〇七年には九〇〇〇ドルにまで急増した。中国は、輸出額とアメリカ国債の保有額で世界第一位になった。外国人投資家は、中国の金融市場に参入できるようになった。

この間、アフリカの人口は倍増した。キンシャサ〔コンゴ民主共和国の首都〕とラゴス〔ナイジェリア最大の都市〕の人口は、四〇倍にもなった。アフリカでは、いまだに貧困と飢餓が蔓延している。

二〇〇八年、第九の「形態」は深刻な危機に陥った。そして、この危機は現在も続いている。

第九の「形態」の危機——二〇〇八年〜二〇二三年

それまでの「形態」の終焉時と同様、勢力を増したアメリカとヨーロッパの銀行は、顧客から預かった資金であっても、自分たちが儲けるためなら利用しても構わないと考えた。今回の場合、銀行は特殊な保険商品と融資の証券化によって、自身のリスクを回避した。銀行の収益力は群を抜いていたため、一般企業は自社の利益を自分たちの事業に投資するのではなく、銀行に貸し付けたほどだった。銀行は、デジタル技術とインターネットを駆使して業務を拡大させた。その年、金融の取引額は世界の貿易額の八〇倍に達した。ちなみに、その一〇年前は三・五倍にすぎなかった。

二〇〇八年の夏、アメリカの金融システムは返済能力のない人々にも住宅ローンを組ませ、自分たちはリスクも取らずに大きな利益を上げていたことが明らかになった。

各国の中央銀行はこの逸脱が破綻しないように、タブーを破って制限なく民間企業の証券を買い上げた。商秩序の金融システムは根底から揺らいだが、銀行の蛮行によって生じた巨額の損失を納税者が肩代わりすることによって一時的に救われた。あとは、新たな牽引役が登場してくれることを祈るのみだった。

第九の「心臓」は二〇二三年の今日に至るまで、債務の積み増しと革新的な技術進歩によって、生命を維持してきた。

この間、アジアは驚異的な成長を遂げた。二〇一〇年から二〇二二年にかけて、中国の生産高はドル換算でまたしても倍増した。中国人の生活水準は五四％上昇した。中国のＧＤＰの世界シェアは、一一・六％から一七・八％になった。中国は輸出額とアメリカ国債の保有額で世界第一位の座を確保した。二〇一〇年から二〇二三年にかけて、韓国とインドのＧＤＰは、それぞれ五〇％、八〇％増加した。

過去の三つの「形態」において、世界の経済と社会は急速に発展した。二〇二三年、世界のＧＤＰは、一九〇〇年の九〇倍になった。その間に、人口は六倍になったので、一人当たりのＧＤＰは一五倍になった計算だ。識字率は、一九〇〇年の二〇％から八五％になった。平均寿命は大きく延びた。世界のエネルギー消費量は、一九〇〇年の一〇九二Ｍｔｏｅ（石油換算メガトン）

から二〇二一年には一万一四〇〇Mtoeになった。二〇一九年に飛行機を利用した人の数は、延べ四六億人だった。ちなみに、一九五〇年では六〇〇〇万人に過ぎなかった。一九〇〇年から二〇一五年にかけて、二六億人が上水道を利用できるようになった。二〇億人以上が貧困から抜け出した。農薬の使用量は、一九九〇年の時点とだけ比較しても八〇%増加した。新たな品種（遺伝子組み換え作物）によって痩せた土地でも耕作できるようになった。農業の機械化にともなう大規模な単一栽培の発展により、耕作地が拡大した。食肉の生産量は、一九七〇年から二〇二〇年にかけて三・四二倍になった（増加分の半分以上を占める鶏肉の生産量は八・九倍）。

われわれは、これらの発展の代償を支払うことになった。二〇一二年から二〇二二年の一〇年間で、過去一〇〇年間よりも多くのプラスチックが生産された。世界の二酸化炭素排出量は、一九〇〇年の一九億五〇〇〇万トンから二〇二〇年には三六〇億トンにまで増加した。この増加分の半分は、一九九〇年から二〇二〇年までの排出量だ。気候変動の影響が身近に感じられるようになった。一九世紀末から世界の平均気温は、ほぼ一度（摂氏）上昇した。一九八九年から二〇一六年にかけて、飛翔昆虫の生物量は、七六%減少した（ドイツの農業景観保全地区における調査結果による）。インドでは一九八〇年から二〇一七年にかけて二七八回の洪水発生により、七億五〇〇〇万人が被害に遭い、二三五平方キロメートルの陸地が失われた。

過去と同様、「心臓」と「中間」の国々は、「形態」の終焉時に防衛費を増額しなければならなかった。第九の「形態」においても、防衛費は「心臓」の財政に重くのしかかっている。西側諸国の軍事費は、過去数十年間に減少したが（対GDP比は一九八〇年の六・六%から二〇〇〇年の三・一%へと減少）、二〇〇〇年代になって再び上昇した（ただし、中国の場合では、著しい経済成長のため、軍事費の対GDP比は上昇していない）。

二〇二〇年以降、新型コロナウィルス危機によって、世界の医療制度と予防対策の脆弱性が明らかになり、第九の「形態」の凋落ペースは加速した。世界の平均寿命は一年間で一年短くなった（二〇一九年の七三歳から二〇二〇年には七二歳）。死亡率は、七・五‰から八・一‰になった（一九八二年以来の上昇）。

世界経済の一部が貧困に陥った。急激な景気後退が始まったが、先進国の景気後退は、公的および民間の債務の急増によって覆い隠されている。二〇一九年と二〇二二年の公的債務の対GDP比は、アメリカでは一〇〇・九%から一二六・四%になり、EUでは七七・五%から九〇%になった。コロナ禍により、公的および民間の債務残高は一年間で三〇%上昇し、対GDP比で二六〇%になった（一九七二年は一一五%、二〇〇七年は一九五%）。この債務残高の内訳は、公的債務が一〇〇%、家計が五八%、企業が一〇〇%だった。

コロナ禍により、人々の暮らしぶりも変化した。テレワークが急増した。経済の大部分がヴァーチャル化する一方で、一部の農産物や半導体などの重要な部門では、生産が滞っている。こうした現状を受け、戦略的な産業（医療、安全保障、新たなテクノロジー）の拠点を確実性の高い場所に移転させる必要性が意識されるようになった。生産者は、この機会に勢力を取り戻そうと製品の値上げに踏み切った。二〇二二年、このインフレは、ロシアのウクライナ侵攻によるエネルギー価格の急騰と、ＥＵのロシア産の石油と天然ガスの輸入停止によって加速した。

第三章

現在――二〇二三年

八世紀にわたる商秩序の後、世界はどこに向かうのか。

今日の世界

今日でも、自然が保護すべき宝であることには変わりがない。地球には、現在もおよそ八七〇万種から三〇〇〇万種の生物種が生息している。そして日々、新たな生物種が発見されている。これらのおよそ三〇%は植物であり、残りは動物だ。動物の九七%は無脊椎動物と推定されている。とくにアマゾン熱帯雨林には、少なくとも二五〇万種の昆虫が生息している。アマゾン熱帯雨林を除く世界の二大原生林（中央アフリカとメコンデルタ）にも、少なくとも同数種の昆虫が生息している。

一九〇〇年に一五億人だった世界の人口は、およそ八三億人になった。

一二億人以上の出産年齢の女性は、安全な人工妊娠中絶手術を受けることのできない国で過ごしている。一億人の女性は、この手術が完全に禁止されている地域で暮らしている。

二〇二一年、アフリカのサブサハラ地域で暮らす一五歳から四九歳の女性のうち、慣習によって女性器を切除された者の割合は二五％だった。

女性あるいは女児が、時間にして一一分に一人の割合で家族によって殺害されている。

一五歳から四九歳の女性のうち、過去一二ヵ月間に性的、身体的な暴力を蒙(こうむ)った者の割合は、一〇人に一人以上だった。

二〇二一年、二〇歳から二四歳の女性のうち、一八歳未満で結婚した者の割合は、五人に一人だった（この割合は二〇〇一年よりもわずかに減少）。

世界において国会議員に女性が占める割合は、いまだに二六・四％にすぎない（地方議員では三四・三％）。

先進国では、平均寿命の延びは頭打ちになった。特定の裕福な社会層や一部の国では、平均寿命は低下している。原因は、新型コロナウィルス感染症の流行だけではなかった。

文化の多様性は、相変わらず健在だ。国連に加盟している国の数は一九三ヵ国だ（さらに、大半の国がコソボとパレスチナを承認している）。世界ではおよそ七〇〇〇の言語が使用されているという（言語の数は、一九世紀初頭から減少傾向にある）。だが、実際にはもっとたくさんある。たとえば、インドには一万九五六九（公式には四四七）の言語と方言がある。消滅の危機にある言語の数は三〇〇〇だ（おもにアメリカ大陸とオセアニア）。

防衛費は二兆ドルを突破した（世界の対GDP比で二％強）。世界には少なくとも一万発の核弾頭がある。世界中で、テロ組織と原理主義者が勢力を増している。モーリタニアや中国の「周縁」では、狂信的な活動集団や国家が跋扈している。少なくとも五六の紛争が勃発中だ。これらのうち、政府が関与する紛争もある（一九四五年以来、最高の水準）。これらの紛争のうちの半分は、外国の軍隊が介入している。世界中の国の三分の一は、これらの紛争から何らかの影響を蒙っている。直近では、ロシアのウクライナ侵攻だ。さらには、六七の非国家（例：テロ組織、犯罪組織、都市部の暴力集団）による紛争もある。たとえば、殺人事件が最も多いラテンアメリカやイスラム過激派がのさばる無法地帯（シリア、トルコ、イラク）では、そうした紛争が頻発している。実際に、世界の一部はジャングル状態になっている。われわれが直面するのは、世界大戦ではなくグローバル化された戦争だ。

おもな宗教（宗派をひとまとめにした場合）の信者の数は、キリスト教が二四億人、イスラム教が二〇億人、ヒンドゥー教が一二億人だ。

世界では、大人の半数以上が新聞を読んでいる（紙の新聞が二五億人以上、電子版が六億人以上）。ラジオ局の数は四万四〇〇〇以上、テレビ局の数は三万三三〇〇以上ある。テレビの視聴者の数は、およそ五三億人だ。フェイスブックの定期的な利用者の数はおよそ三〇億人、ティックトックは一二億人、その中国版のドウインはもっと多い。

携帯電話の数は五五億台以上、パソコンとタブレットは一五〇億台ほどある（世界の人口を考慮すると、一人当たり二台の計算になるが、人類の半数はこれらのデジタル機器を持っていない）。チャットGPT-3や4などの人工知能は、すでに大きな影響をおよぼしている。

先進国の年間労働時間は、一九五〇年の一九〇〇時間（週当たり三六時間）から一四〇〇時間（週当たり二七時間）になった。言い換えると、先進国の人々の人生に占める労働に費やす時間の割合は、一九〇〇年の四〇％から一〇％になった。これは大きな変化と言える。

世界のGDPは一〇〇兆ドルを突破した。

毎年、人類は、七億七一〇〇万トンの小麦、八億トンのコメ、四億五〇〇〇万トンの食肉を生産している。

世界の食肉一人当たりの年間平均消費量は、鶏肉が一五・八キログラム、牛肉が八・九キログラム、豚肉が一五・五キログラム、魚介類が一九・八キログラムだ。これらの数値はあくまで平均値であり（個人間には大きなばらつきがある）、毎年一％ずつ増えている。

大規模に栽培されている植物は三〇種類にすぎないが、食用植物は三万種類もある。世界で消費されるタンパク質の一五％は昆虫だ。世界の食糧生産量の一四％は破棄されている。農業は、温室効果ガス排出量の四分の一、森林などの自然破壊の八〇％、水資源の過剰利用の七〇％に原因がある。一カロリーの穀物を生産するには一〇カロリーの石油が必要だ。

淡水の年間使用量は、およそ三兆九〇〇〇億立法メートルだ。一人当たりの計算ではおよそ五〇〇立方メートルになる。二〇〇〇年以降、淡水の使用量は、農業の推移とは関係なく増加している。水不足に悩まされる人口は、年間少なくとも一ヵ月間の場合では二七億人、年間を通じての場合では一一億人だ。世界の水資源の大半は、南アメリカにある。世界最大の地下水面は、アルゼンチン、ウルグアイ、ブラジルにある。また、大きな地下水面は、ペルー、コロンビア、ブラジル西部にもある。次に、オセアニア、東ヨーロッパ、北アメリカと続く。

二〇二三年、コンピュータの最高性能値は、一・一EFLOPSだ（エクサフロップスはFLOPSの10^{18}。つまり、コンピュータが一秒間に行うことのできる浮動小数点演算の数がFLOPSの10^{18}）。ちなみに、高性能のパソコンの性能値は三・六TFLOPSだ（テラフロップスはFLOPSの10^{12}）。少なくとも三〇年以来、この演算性能は一八ヵ月ごとに倍増している。

技術進歩は急速に広まったが、世界の生産量が増加する兆しは見られない。その理由として、イノベーションだけでは経済にのしかかる負担を相殺できないという見方や、技術革新の普及が遅いからという指摘がある。

ほとんどの物資やデータの輸送は、海を通じて行われている（コンテナと海底ケーブル）。海上では、五五〇〇隻以上のコンテナ船と二〇〇〇万個以上のコンテナが往来している。世界の海上輸送の大部分は、太平洋が舞台だ。世界の主要な港は、太平洋のアジア側にある（ただし、シンガポールとオーストラリアのポートヘッドランドを除く）。世界ランキング上位一〇港のうち八港は中国にある（寧波舟山、上海、唐山、広州、青島、蘇州、日照、天津）。

アジアとオセアニア以外の地域における最大の港は、ロッテルダム（世界第一一位）とアントウェルペン（世界第二五位）だ。これらの港で荷揚げされる財の六四％はアジアからの輸入品であり、荷積みされる財の四二％はアジアへの輸出品だ。

およそ二万三〇〇〇機の民間航空機が、旅客と貨物を運んでいる。航空交通量（出発、到着、通過）が最も多いのはアジア太平洋地域であり、およそ三八・六％だ。ちなみに、ヨーロッパは二三・六％、北アメリカは二二・七％だ。世界では、年間およそ四〇〇〇万回の商業フライトと、延べ九〇億人の乗客があると推定されている。

二〇二二年の（売上高で）世界最大の企業は、アメリカの小売企業（ウォルマートとアマゾン）と中国のエネルギー企業（国家電網、中国石油天然気集団、中国石油化工集団）、次いでサウジアラムコ、アップル、フォルクスワーゲン・グループだ。二〇二三年の時価総額では、アップル、サウジアラムコ、マイクロソフト、アルファベット〔グーグルの持ち株会社〕、アマゾン、テスラ、バークシャー・ハサウェイだ。バランスシートの観点から見ると、金融部門は世界経済の中核にある。

多くの分野では、市場は談合と独占が横行する場になっている。小麦とトウモロコシの輸出経路を支配しているのは、アーチャー、ブンゲ、カーギル、ドレフュスの四つの企業だ（これらの企業は、頭文字をとってABCDと呼ばれている）。

種子の市場も、同様に寡占状態だ。市場シェアは、モンサントが二三％、デュポンが一五％、シンジェンタが九％、フランスのリマグランが九％だ。

世界規模でコーラを生産しているのは、ペプシとコカ・コーラだけだ。

航空機の受注は、エアバスとボーイングがほぼ独占している。

コンピュータ機器のオペレーティングシステムの市場も寡占状態だ（アンドロイド、ウィンドウズ、iOS、OSX）。

世界の自動車生産の五六％は、トヨタ、フォルクスワーゲン、ルノー・日産・三菱自動車、ゼネラルモーターズ、現代自動車、ステランティスが占めている。

SNSのプラットフォームは、フェイスブック、ユーチューブ、ワッツアップ、インスタグラム、ウィーチャット、ティックトックで一〇億人以上の利用者を囲い込み、排他的な市場環境を保ち続けている。

音楽市場では、ソニーミュージック、ユニバーサルミュージック・グループ、ワーナーミュージック・グループが君臨している。

市場の寡占状態は、スマートフォン、飲料水、医薬品の生産についても同様だ。

世界の贅沢品の市場規模は、世界の生産高の一％に該当する一兆一四〇〇億ドルだ。これらの製品の消費者は、ほんの一握りの人々だ。

しかしながら、競争が新規参入者によって激化している市場もあるようだ。現在、サウジアラムコ、ロスネフチ、クウェート石油公社、イラン国営石油会社、中国石油天然気集団の石油精製量を合計しても、世界の四分の一を占めるに過ぎない。

ハーフィンダール・ハーシュマン指数（世界規模の企業競争状態を計測する指標）は、これまでになく低い。一九九四年では五七三、一九八八年では一六〇〇だったが、二〇二〇年には四四四にまで低下した〔市場が独占状態に近いほど一〇〇〇〇に近づき、完全状態に近いほどゼロに近づく〕。この傾向からは、あらゆる分野で国際競争が再び激化していることがわかる。

世界の時価総額は、世界のＧＤＰの一三〇％を超えた（銀行部門だけでも一五％）。外国為替市場の年間取引額は、世界のＧＤＰの二五倍に相当する。民間ファンド（銀行と投資ファンド）の運用資金は、世界のＧＤＰよりもわずかに多い。フランス最大のファンドの運用資金は、フランスのＧＤＰの三分の二に相当する。フランスの銀行上位三行の資産額の合計は、フランスのＧＤＰの一・八倍を上回る。

第九の「形態」では、対象領域は世界全体だ。「心臓」はまだカリフォルニアにあるが、後ほど述べるように、多くのライバルが出現している。とくに中国だ。

二〇〇ほどの国々が、自国市場を多かれ少なかれ開放し、独占に悩まされ、債務を膨張させ、市場経済で活動している。

世界の国の半数以上では、独裁者が政権を握っている。これらの独裁国家は、自分たちの権力を維持および強化するために、市場を利用している。

世界政府は存在しないが、国連、G7（主要国首脳会議）、G20（先進国に新興国を加えた主要二〇ヵ国）は、一定の影響力を維持している。

「世界の取扱説明書」は見当たらないが、今日では民間の同業組合組織が暗黙の世界政府のように業界基準を定めている。たとえば、半導体を規制するJEDEC（半導体技術協会）、広告を規制するIAA（国際広告協会）、会計業務を規制するACCA（英国勅許公認会計士）、さらには、芸術作品の密売防止を規制するICOM（国際博物館会議）などもある。一方、ダボス会議などのフォーラムが世界に影響力をおよぼしているという声もあるが、これは事実に反する。

世界の公的および民間債務は、対GDP比で二五〇％に達した。これは一九四五年以来、最も高い水準だ。新興国から借金をしているのは先進国であり、新興国の貯蓄額は、先進国よりもはるかに多い。貧国も多額の債務を抱えている。

世界の一次エネルギーの生産量は、一九〇〇年の一〇〇万toe（石油換算トン。一toeは一一・六三メガワットアワーに相当）、一九五〇年の二一億toe、そして二〇二三年には一五〇億

toeになった。

一次エネルギーを分類すると次の通りだ。石油（三一％）、石炭（二七％）、天然ガス（二五％）、原子力（四％）、水力（七％）、風力（一・六％）だ。石油の半分と天然ガスの四〇％の埋蔵量は、湾岸諸国にある。

世界のレアアースの生産量は二五万トンだ。今日のおもな産地は、中国（一四万トン）、アメリカ（三万八〇〇〇トン）、オーストラリア（一万七〇〇〇トン）、インド（三〇〇〇トン）、コンゴ民主共和国、ベトナム、ブラジル、ミャンマーだ。レアアースの埋蔵量は、中国（全体の三八％）、ベトナム（一九％）、ブラジル（一八・一％）、ロシア（一〇・四％）だ。また、少量だが、インド、オーストラリア、アメリカ、グリーンランド、アフリカ諸国（コンゴ民主共和国、ケニア、タンザニア、マラウイ、南アフリカ、ブルンジ）にもある。イランには、埋蔵量で世界第二位のリチウム鉱山があるようだ。

驚異的な技術進歩により、新たな展望が切り拓かれた。ゲノム科学は応用段階に入った。ヒトゲノムの塩基配列の読み取りにかかる費用は、二七億ドルから三〇〇ドル以下になった。予期せぬ感染症に対し、メッセンジャーRNAを利用したワクチンが開発された。機械学習や人工知能などのデジタル技術は、無数のデータを蓄積して相関関係を見つけ出すことにより、機械の故障率やメンテナンス時期の決定など、数多くの予測を行っている。チャットGPT-3や4により、一七世紀のブレーズ・パスカルが開発した機械によって始まった人間の精神を補助するという構想は、新たな段階に入った。

富の一極集中という傾向が、かつてないほど強まっている。世界の金融資本の四分の三以上を所有しているのは、世界の富裕層上位一〇%未満の人々だ。経済成長の配分は、富裕層上位一%が五五%である一方、貧困層下位八〇%は五%未満だ。

世界の貧困は減少した後、二〇一〇年の水準に戻った。貧困が深刻化した地域における女性の社会的地位は、きわめて低い。たとえば、北アフリカや北インドだ。極度の貧困に喘いでいるのは、女性がおよそ四億人、男性がおよそ三億六八〇〇万人だ。

世界の最貧国四九ヵ国は、人口では世界の一一%に相当するが、GDPでは世界の二%しかない。これらの国の六〇%は、債務危機の状態にある。都市部の住民のおよそ三人に一人が貧民窟で暮らしている。八億六〇〇〇万人が電気を利用できない。彼らのうちの六億人はアフリカのサブサハラ地域、八〇〇〇万人はインドで暮らしている。世界の人口の半数以上が、医療、教育、飲料水、融資、住宅を満足に利用できていない。

およそ八億人（三分の二が女性）が、文字の読み書きができない。六歳から一一歳の子供の八%（一億五〇〇〇万人以上）は、学校に通っていない。アフリカのサブサハラ地域では、この非就学率は二〇%にもなる。学校に通っている場合でも、ほとんどの場合、一クラスの生徒の数は一〇〇人以上であり、学校には充分な教育を受けた教師がいない。中学生の年齢になると、若者の一六%は学校に通わなくなる。高校生の年齢になると、すでに三分の一以上の若者が学校教育から離れる。一億五八〇〇万人の五歳から一四歳の子供、つまり、この年齢層の六人に一人は、就労を余儀なくされる。なぜなら、悪化した交易条件により、親は子供の学費を賄うことができないからだ。奴隷の人口はかつてないほど増え、およそ五二〇〇万人と推定されている。

ますます多くの人々が移民となって（世界人口の三・五%に相当するおよそ三億人）貧困から逃げ出し、道端や海上で命を落としている（二〇〇〇年には、世界の人口の二・八%に相当するおよそ一億七三〇〇万人）。移民の地域別の行き先の内訳は、ヨーロッパが三一%、アジアが三一%、北アメリカが二一%、アフリカが九%だ。移民の目指す上位二ヵ国は、アメリカ（およそ五一〇〇万人）とドイツ（およそ一六〇〇万人）だ。これらの国際移民の二〇%の出身国は、インド、中国、バングラデシュ、パキスタン、フィリピン、アフガニスタンの六ヵ国だ。難民と庇護申請者は移民全体の一〇%未満であり、彼らのほとんどは、シリア、アフガニスタン、スーダン、ミャンマー、コンゴ民主共和国の出身者だ。

環境問題

今日、世界の哺乳類に占める野生動物の割合は四％にすぎない。生物種が絶滅するペースは、一〇〇〇万年前の一〇倍から一〇〇倍にもなった。生物の絶滅危惧種は五万種近くある。

毎年、インドネシアではおよそ五〇万ヘクタール〔東京都の面積の二・三倍〕の森林が消失している。新たに開発される面積は、人口増を上回るペースで増加している。

世界の土壌に含まれる有機物の量は急減している。

廃棄物の八〇％は処理されることなく投棄されている（この割合は、貧国では九五％にも達する）。プラスチックのリサイクル率は一〇％にすぎない。

人類は毎年五〇〇億トンの温室効果ガスを排出しているが、地球が吸収できるのは二〇〇億トンに過ぎない。

今日、大気中の二酸化炭素濃度は、過去四〇〇万年以来最高の四一七ｐｐｍだ。国別の排出量の内訳は、中国が三二%、アメリカが一五%、EUが七%だ。一人当たりの排出量は、中国が八・四トン、アメリカが一七・五トン、EUが七トン（フランスは五・四トン）だ。

世界の温室効果ガスの発生源の四分の三は人類の活動だ。一人当たりの年間排出量は七トンだ。気温の上昇幅を一・五度〔摂氏〕に抑えるには、一人当たりの年間排出量を二トン以下にしなければならない。世界の温室効果ガス排出量の部門別の内訳は、エネルギーが二四・二%、産業が五・二%（化学、セメント）、建設が一七・五%、農業や土地の開発（牧畜《五・八%》、森林破壊《二・二%》、稲作《一・三%》）が一八・四%、運輸（陸《一一・九%》、空《一・九%》、海《一・七%》）が一六%、未利用エネルギーが七・八%、「漏れた」排出（パイプラインの漏洩など）が五・八%、廃棄物が三・二%だ。

既存の炭素回収装置では、年間四五〇〇万トンしか処理できず、現在計画中の装置が稼働しても、回収量はせいぜい一億四〇〇〇万トンにしかならない。

干ばつの影響が出始めている。一部の地域では、雨が降らないため、河川と湖の水量、氷河の体積が激減している。たとえば、モロッコでは、ダムの貯水率が二〇一八年の六〇%強から二〇二二年には三〇%未満になった（二〇二三年には少し改善したようだ）。

九つの「地球規模の限界」のうちの六つ（気候変動、生物多様性の喪失、窒素とリンの循環バランスの変調、土地利用の変化、新たな物質の導入、淡水の利用）は、危険水域を超えた。残りの三つ

（海洋の酸性化、オゾン層の破壊、大気中のエアロゾル粒子）は、きわめて深刻な状態にある。

京都議定書（一九九七年）以降、この議定書に盛り込まれた「クリーン開発メカニズム」では、排出量削減に取り組む企業が削減に取り組んでいない国での排出量削減プロジェクトに参加すると、その対価として、排出権、つまり温室効果ガスを排出する権利を得ることができる。企業が得るこの排出量には上限がある。この上限を超えた場合、企業は政府に代わって運営される排出権市場でのオークション、あるいは排出量を排出枠以下に抑制した企業から排出権を購入しなければならない。

ＥＵは、環境規制の緩い国からの輸入品に事実上の関税をかける国境炭素調整措置の導入を目指した。この措置は、二〇二三年一〇月一日から実施される見込みだ。だが、これはまだ理論的な段階であり、効果のほどは定かではない。

二〇二一年、世界の排出権市場での取引は、およそ八五〇〇億ドルに達した（その年の増加分の九〇％は、二〇〇五年に始まったＥＵの排出権取引によるもの）。排出権取引は、韓国（国内の排出量のおよそ三分の二をカバー）、カナダ、中国、日本、ニュージーランド、スイス、アメリカなどにもある。炭素税は、三一ヵ国で導入された（コスタリカ、カンボジア、ガーナ、南アフリカ、メキシコなど）。

地球全体では、炭素税や排出権取引によってカバーされている排出量は、全体の一六％にすぎない。二〇一九年、既存のさまざまな形態の炭素税による収入は二六〇億ドル、排出権取引は二三〇億ドルだった。二酸化炭素一トンの平均価格は、二〇二一年二月の三七・四五ユーロから二〇二二年一二月には八〇ユーロ近くまで上昇した。そうはいっても、実際の価格は二五〇ユーロくらいだろうと言われている。

問題点を列挙すると、排出枠の縮小ペースが遅すぎる、炭素税が安すぎる、課税対象が定まっていない、他の制度との整合性がとれていない、市民の理解が得られていない、などだ。

今日、排出権の世界市場をつくる計画は、行き詰まっている。

今日の「心臓」

二〇二三年、世界最大のパワーを持つのは誰なのか。

ある民間組織の調査によると、大きい影響力を持つ国を順に列挙すると、アメリカ、イギリス、ドイツ、中国、日本、フランスだという。

世界の二大勢力は、中国とアメリカだ。一九四五年から一九九〇年にかけてアメリカとソ連、一九八〇年からのG7、二〇一〇年からのG20に代わり、今日では中国とアメリカのG2だ。アメリカは今日でも、政治、経済、テクノロジー、軍事の面で、世界第一位の勢力だ。アメリカの軍隊は世界最強だ（軍事費は七七〇〇億ドル、現役兵の数は一四〇万人、核弾頭の数は五五五〇個）。アメリカのGDPの世界シェアは依然として二三%だ。アメリカの外国への投資は、外国がアメリカに投資するよりも大きなリターンを生み出している。ドルは、現在も世界の主要通貨だ。ヒューストンとマイアミは、租税と経済の面において、世界で最も魅力的な都市だ。世界のほとんどの地域では、国際的な紛争の際にはアメリカの法律が適用される。アメリカ政府は、個人や国に対して世界規模の制裁を科すことができる（例：対ロシア制裁）。

しかしながら、アメリカの弱点は、ますます大きくなっている。アメリカの公的債務は、世界のGDPの三分の一に達した。アメリカのおもな港は、国際ランキングで下位に位置している（南ルイジアナの三一位、ロサンゼルスの三三位）。アメリカの気候は急速に悪化している。アメリカ人が引っ越しをする理由の三四%は気候だ。アメリカ国民の富の格差は、G7諸国内で最も大きい。二〇二三年、富裕層上位一%の所得が国民所得に占める割合は、二〇%近くだった。アメリカの教育制度はきわめて不平等だ。国民全体に占める肥満の人の割合は三三%だ。国民の四二%は大麻を使用した経験があり、一六%はコカインを試したことがある。アメリカでは、ハードドラッグによって毎年一〇万人が命を落としている。アメリカ人の七%は、有毒物質の使用による精神障害（不安、鬱、不注意、多動性、人格障害、双極性障害）に苛まれている。若者の一〇人に一人は、自殺を考えたことがある。この割合は、女子や社会的少数派ではさらに高い。

アメリカでは、およそ四億三四〇〇万丁の銃が出回っている（国民一人当たり一・三丁の計算）。二〇二〇年、銃が原因の死者数は四万五二二二人（このうち五五%は自殺）だった。すなわち、一日一〇〇人以上が銃によって死亡している計算になる。アメリカでは、狂信的な信仰が蔓延している。アメリカの刑務所人口は二一〇万人を突破した。収監率（人口一〇万人当たり六三九人の拘禁者）は、世界平均の二・五倍であり、世界最高だ。アメリカの民主主義は、社会階層間、地域間、民族集団間の溝の深まりによって脅かされている。アメリカの政治の実権はおもに大企業、とくにプライベート・エクイティ・ファンドが握っている。巨額の選挙資金を提供する彼らは、自分たちの資本から収益を上げるために必要な政策を、政府や中央銀行が実行するように圧力をかけている。とくに「心臓」であるカリフォルニアの暮らしは、自然環境と社会の面で悪化している。高税率で治安がきわめて悪いという理由から、多くの企業がカリフォルニア州から脱出している。

今日の「中間」

中国

西洋諸国から一〇〇年にわたる屈辱を味わった中国は、復讐心を抱き、権力志向をむき出しにしている。不正がはびこる市場において、中国は世界第二位の大国になった。

中国の軍隊は、アメリカとロシアに次いで世界第三位だ（核弾頭の数はおよそ四〇〇個、総兵力はおよそ二〇〇万人、軍艦と潜水艦の数は三五五隻）。中国の軍事費はまだアメリカの三分の一だ。軍隊を指揮し、商秩序において帝国的な権力を有する中国共産党は、国民と社会契約を結んでいるようだ。中国共産党は、国民の欲望の移り変わりを常に把握する手段を持つ。反体制派や新疆ウイグル自治区のウイグル族などの少数民族が虐待されても、ほとんどの中国人は、「自分たちは自由に旅行できるのだから、独裁政権下で暮らしているのではない」と考えている。至る所に設置された二億台の監視カメラ（アメリカの四倍以上）により、国民はその行動によって格付けされている。この格付けに応じて、行政への就職、子供の教育、住宅や社会的支援の利用が制限されている。

中国は、人工知能の利用と開発において有利な立場にある。その理由は、今のところ従順な国民と巨大な自国市場だ。中国の人工知能への投資額は、世界の一〇%を占める。おもな投資先は、自動車、工作機械、医療、企業向けのソフトウェア、治安維持、公共交通、司法などの分野だ。中国は、四四の未来の主要産業のうちの三七において、他の国々よりも先行している。中国共産党が間接的に支配するようになった中国の大企業（例：バイドゥ、テンセント、ファーウェイ）は、医療と自動車の自律走行に巨額の投資を行っている。

中国のＧＤＰはアメリカのまだ半分であり、一人当たりのＧＤＰはアメリカの六分の一にすぎない。そうはいっても、アメリカとの差はかなり縮まってきた。港の世界ランキング上位一〇港には、中国の港が八つ入っている（上海、天津、深圳、寧波、青島など）。

世界に出回る商業製品の一五%と消費財の半分は中国製だ。中国は、衣服、自動車、サーバ、コンピュータ、携帯電話などで、世界的なブランドを確立した。中国製品は低価格を武器に、他国の産業を破壊した。貧困に突き落とされたこれらの国の労働者は、公害をまき散らして製造される安価な中国製品の消費者になっている。

中国の高等教育機関では、毎年一〇〇万人のエンジニアが育成されている。

今日、中国は、銅、鉄、ニッケル、鉛、アルミニウムの世界最大の消費国であり、石油の消費量も世界第二位だ（日量一一〇〇万バレル。アメリカは一九〇〇万バレル、日本は四五〇万バレル）。中国は、世界の石炭の五〇％を消費している。

アメリカが必死になって中国の市場シェアを引き下げようとしているのにもかかわらず、中国は依然として世界最大のレアアースの産出国であり、太陽光発電や風力発電に必要なレアアースの分離精製事業の四分の三を牛耳っている。

中国は、アメリカ国債の最大の保有国だ。

さらには、中国は、「一帯一路」と呼ばれるプロジェクトを通じて貿易拠点を世界各地に設置し、物資の調達に必要な地点に布石をした。中国は、このプロジェクトを利用して物資の供給路を確保する一方、このネットワークに参加する国々に国内の監視技術を提供するとともに、これらの国々と安全保障協定を締結した。

中国は、ヨーロッパ、アジア、南アメリカ、アフリカ、オーストラリアで港湾施設や農地を買い漁っている。

中国は、世界の半数以上の国にとって最大の貿易相手国だ。一九九〇年から二〇二〇年にかけて、中国のＡＳＥＡＮ（東南アジア諸国連合）との貿易額は二〇倍になったが、アメリカとの貿易額は倍増しただけだった。中国のブラジルとの貿易額は、アメリカとの貿易額の三倍だ。

中国の快進撃は華々しいが、中国は大きな弱点を抱えている。中国は自国で発生した新型コロナウィルス感染症の蔓延に対処できず、二年間にわたる国境閉鎖を強いられた。唐突に開国したが、減速した経済成長が以前のペースに戻る見込みはない。汚職が蔓延しているため、効率的な意思決定ができない。毎年平均一〇〇億トン近い二酸化炭素を排出する中国（世界の排出量の一四％）は、アメリカとインドを抑えて世界第一位の汚染国になっている。

中国は、自国の耕作地が世界の七％にすぎないのに、世界人口の一七％に相当する国民を養わなければならない。よって、二〇〇〇年代までは食糧の純輸出国だったが、二〇二三年には食糧の二三％を輸入している。小麦の四七％、トウモロコシの半分以上は、（ブラジル、アメリカ、ニュージーランド、カナダ、オーストラリアからの）輸入に頼っている。気候変動と痩せた土壌は、農業の生産性に深刻な影響をおよぼしている。二〇二一年、河南省では一〇〇万ヘクタールの農地が洪水によって水没した。また耕作地の少なくとも半分では、干ばつによって生産量が三〇％減った。

中国は、自国の野望を維持するために急拡大するアジア諸国に依存している。

日本

日本は、安全保障はアメリカ、エネルギー供給はペルシア湾に完全に依存しているが、依然としてきわめて重要な経済大国だ。

日本の人口は一億二五七〇万人だ。日本の出生時平均余命（平均寿命）は世界一だ（およそ八五歳）。二〇二〇年の日本の普通出生率はおよそ七‰であり、これは世界で最低レベルだ（一九七三年は一九‰）。二〇二三年の日本の合計特殊出生率（出産可能年齢の女性一人当たりの子供の数）は一・三だった（一九七三年は二・一）。

日本社会における女性の地位は、依然として低い。

日本のGDPはおよそ五兆三〇〇〇億ドルであり、一人当たりのGDPはおよそ四万二〇〇〇ドルだ。

二〇一〇年以降、日本の工業生産性は低下している。日本の公的および民間の債務は世界で最も高い水準にある（対GDP比で示すと、公的債務は二五九％、民間債務は一一五％）。日本は中国（輸出額の二二％、輸入額の二六％）とアメリカ（輸出額の一八％、輸入額の一一％）に大きく依存している。

韓国

一九九七年に独裁政権から脱した韓国は、今日では自動車や電話など多くの産業分野で世界のトップクラスにある。

郵便はがき

おそれいりますが
切手を
お貼りください。

1028641

東京都千代田区平河町2-16-1
平河町森タワー13階

プレジデント社
書籍編集部 行

フリガナ		生年（西暦） 年	
氏　　名		男・女	歳
住　　所	〒 TEL　　　（　　　）		
メールアドレス			
職業または学校名			

ご記入いただいた個人情報につきましては、アンケート集計、事務連絡や弊社サービスに関するお知らせに利用させていただきます。法令に基づく場合を除き、ご本人の同意を得ることなく他に利用または提供することはありません。個人情報の開示・訂正・削除等についてはお客様相談窓口までお問い合わせください。以上にご同意の上、ご送付ください。
<お客様相談窓口>経営企画本部 TEL03-3237-3731
株式会社プレジデント社　個人情報保護管理者　経営企画本部長

この度はご購読ありがとうございます。アンケートにご協力ください。

本のタイトル

●ご購入のきっかけは何ですか?(○をお付けください。複数回答可)

1 タイトル　2 著者　3 内容・テーマ　4 帯のコピー
5 デザイン　6 人の勧め　7 インターネット
8 新聞・雑誌の広告(紙・誌名　)
9 新聞・雑誌の書評や記事(紙・誌名　)
10 その他(　)

●本書を購入した書店をお教えください。

書店名／　(所在地　)

●本書のご感想やご意見をお聞かせください。

●最近面白かった本、あるいは座右の一冊があればお教えください。

●今後お読みになりたいテーマや著者など、自由にお書きください。

どうもありがとうございました。

韓国の映画、連続ドラマ、歌手、グルメは、「韓流」と呼ばれるソフトパワーをつくり出し、韓国は、アジア諸国の若者に西洋の近代性とアジアの価値観を調和させた成功例というイメージを発信している。これらの若者は、潜在的脅威と見なされる中国や、過去の帝国主義に対して真摯に向き合わない日本よりも、韓国に憧れる傾向がある。

韓国は新型コロナウィルス感染症の流行をすばやく察知し、少なくとも初期対応は抜かりがなかった。

韓国の一人当たりのGDPは三万五〇〇〇ドルだ。生活水準は世界のトップクラスだ。

インド

一九八五年以来、市場民主主義になったインドは、世界で最も人口の多い国だ(一四億人)。言語は方言を合わせると一万九五六九種類もある(一二一の言語については、話者が一万人以上いる)。宗教の種類も無数にある。最大の宗教はヒンドゥー教(七九・八%)とイスラム教(一四・二%)であり、次いでキリスト教、シク教、仏教、サルナイズム、アニミズム、キラット教、キラント教、ドーニイ=ポロ教、ジャイナ教などがある。

インドは主要な核保有国になった。文化と外交の面での影響力は甚大だ。国民の半数以上は三〇歳未満だ。二〇二二年、GDPの伸び率は実質九%だった(中国のおよそ二倍)。インドは、世界第五位の経済大国だ。一人当たりの年間所得はおよそ八三〇〇ドルだ（世界第一二七位）。農業部門は就業人口の半数以上を雇用しているが、GDPの一七％しか生産していない。二五歳以下の若者の失業率は四〇％を超えた一方、女性の就業率はたったの二〇％だ。

インドの五歳未満児の死亡率は三〇・六‰だ。医療費の対GDP比はわずか三・一％だ（アメリカは一六％、フランスは一〇％）。国民の半数以上は、不衛生な環境で暮らしている。

インドの識字率は、男性が八五％、女性が七〇％ということになっているが、三〇％の子供が初等教育の修了前に学校を離れている。国の教育費の対GDP比は二・九％にすぎない（フランスは九・七％）。インドは毎年、EUよりも高い技術を持つエンジニアを輩出しているが、世界ランキング二五〇位に入る大学は三校しかない（一五〇位から一八〇位）。

インドのエネルギー源は、石炭が五六％、石油が二六％、バイオマスが一三％、天然ガスが六％、水力が四％、太陽光と風力が二％、原子力と他の再生可能エネルギーが一％だ。インドは消費するエネルギーの三分の一を輸入している。おもな輸入先は、ブータンとロシアだ。インドは、キロワットアワー当たり二八〇グラムの二酸化炭素を排出している（フランスは一二〇グラム）。

ASEAN

二〇二三年、東南アジア一〇ヵ国（ブルネイ、カンボジア、インドネシア、ラオス、マレーシア、ミャンマー、フィリピン、シンガポール、タイ、ベトナム）からなるASEANは、世界で最も活力のある地域政府間組織だ。この地域には六億七〇〇〇万人が暮らし、一人当たりの名目GDPは四九六五ドルだ（購買力平価では一万五二〇〇ドル）。GDPの大半は輸出によるものだ。軍事力では、インドネシア、ベトナム、タイは、世界一五位から二〇位くらいに位置する。

オーストラリア

オーストラリアは、人口が二五七〇万人、GDPが一兆三五九三億ドル、一人当たりのGDPが五万二八二五ドルだ。対GDP比で、教育費は四・一％、医療費は七・六％である。鉄鉱石とリチウムの生産量では世界第一位、金、コバルト、亜鉛の生産量では世界第二位だ。

オーストラリアでは、気候変動の影響がすでに顕著だ。動植物種の多様性の宝庫である世界最大のサンゴ礁地帯グレート・バリア・リーフは、気候変動によってサンゴ礁が死滅の危機にある。

EU

EUは、人口が四億五〇〇〇万人であり、GDPが一三兆ユーロの巨大勢力だ。平均寿命は八〇歳を超えている。ユーロは、国際貿易の主要通貨の一つになった。公的純債務は対GDP比で九〇％に達した。EU市民の購買力は、加盟国間の生活水準のばらつきがあるため（スウェーデンとルーマニアでは五倍の差）、アメリカ国民の半分だ。失業率は、加盟国によって三％から二五％までと、さまざまだ。ヨーロッパの五大港（ロッテルダム、アントウェルペン、ハンブルク、ピレウス、バレンシア）と世界のトップレベルの港との間には、大差がある。しかしながら今日、一〇ヵ国以上がEU加盟を申請している。二〇二一年には、およそ五〇万人の難民（EU人口のわずか〇・一％）が、EUに庇護を求めた。

フランス

本書で解説したように、フランスが「心臓」になったことはない。フランスの一人当たりの実質GDP（算出が難しい）を一〇〇として過去の「心臓」と比較すると、ブルッヘは一二〇から一六〇、ヴェネツィアは一六〇から一九〇、アントウェルペンは一五〇から一九〇、ジェノヴァは一六〇から二一〇、アムステルダムは二二〇から三〇〇、ロンドンは二〇〇、ボストンは三〇〇、ニューヨークは二五〇、カリフォルニアは一五〇から一七五になる。

フランスの港が、これまで世界で最も重要な港になったことはない。フランスは、自国で誕生した数多くのイノベーションを利用し損ねた。フランスは不労所得を貪る国だった。貧乏でなく金持ちになるのはひんしゅくを買うことだったため、工業化が非常に遅れた。エリート層は、長年にわたって不動産の所有者であり、富の一極集中が進行した。

国際社会におけるフランスの今日の切り札は、核戦力（公式には、核弾頭の数は二九〇発。世界第四位の核保有国）と高度に発達した軍需産業だ。フランスは国連の安全保障理事会〔中国、フランス、ロシア、イギリス、アメリカ〕のＥＵ唯一の常任理事国だ。二〇二二年にＧＤＰが三兆ユーロだったフランスは、世界第七位の経済大国だ（アメリカ、中国、日本、ドイツ、イギリス、インドに次ぐ）。

フランスでは、人口の少子高齢化が進行している。このため、年金財政に占める現役世代の負担が高まっている。フランスの工業が雇用と付加価値に占める割合は低下している。公的支出は、対ＧＤＰ比で五〇％以上だ。フランスは源泉徴収税が最も高い国の一つだ。フランスは依然としてＥＵ最大の農業国（ＥＵの農業生産の二五％を担う）だが、今日では青果の半分を輸入している。

フランスの航空機産業と贅沢品産業は、世界のトップクラスだ。

フランスの電力のおよそ七〇％は、原子力発電所によって賄われている。残りの電力は、水力発電が一三％、太陽光と風力による発電が一〇・五％、天然ガスと石炭による発電が七・五％だ。

フランスの公的債務残高は、三〇〇〇億ユーロだ。

ユニコーン企業（企業評価価値が一〇億ドル以上の未上場ベンチャー企業）の誕生に関して、フランスはヨーロッパで（イギリスとドイツに次ぐ）第三位だ。

フランスの製造業の対ＧＤＰ比は一〇％にすぎず、この数値はスペインよりも低い。フランスの対外収支赤字はヨーロッパで最も大きい。フランスの生徒の学習到達度は、ここ二〇年以来低迷している。親の社会的背景が子供の成績におよぼす影響がさらに強まっている。

イギリス

イギリスは一世紀半前の黄金期からは大きく衰退したが、それでも世界第五位の経済大国であり、国連の安全保障理事会の常任理事国だ。だが、イギリスの軍隊はアメリカの傘下に入り、自主独立型の核保有国ではなくなった。イギリスには世界的に主要な港がなくなった。ＥＵ離脱以降、イギリスの衰退は加速した。

イギリスの人口は六七〇〇万人であり、ＧＤＰは三兆一三〇〇億ドルであり、一人当たりのＧＤＰは四万六五一〇ドルだ。

イギリスの強みだった工業は、一九九〇年では対ＧＤＰ比で二七％だったが、今日では一七％へと下落した。現在、外国からの投資は、対ＧＤＰ比で一％にも満たない。

中東

中東の人口は四億五〇〇〇万人以上、ＧＤＰは三兆六八〇〇億ドル、一人当たりのＧＤＰは七五六二ドルだ。ほとんどの中東諸国では、産業全体の収入に占める石油と天然ガスの割合は最大で六〇%、輸出全体に占めるこれらの割合は七〇%だ。この地域には、世界の石油確認埋蔵量の五〇%がある。天然ガスではおよそ四〇%だ。サウジアラビアは、石油確認埋蔵量では世界第二位〔世界第一位はベネズエラ〕、天然ガスでは世界第五位だ。

中東諸国間の生活水準には、大きなばらつきがある。たとえば、平均寿命は、シリアが七二歳、イスラエルが八三歳だ。

ロシア

ロシアの軍隊は、汚職とウクライナとの戦いで一部が破壊されたとはいえ、きわめて強力だ（核弾頭の数はおよそ六五〇〇発）。ロシア政府によると、軍事費の対GDP比は六・八%だという（アメリカは三・五%から四%、中国は二%）。

ロシア一人当たりの収入は、OECD諸国の平均の三分の一であり、その差は拡大している。

ロシアの人口（一億四三〇〇万人。年齢の中央値はおよそ四〇歳）は、減少傾向にある。平均寿命はおよそ七二歳だ（男性が六七歳、女性が七八歳）。合計特殊出生率は一・六だ。

ロシアのアルコール依存症の有病率は、二〇・九%にも上ると言われている（男性が三六・九%、女性が七・四%）。これは、ハンガリーに次ぐ高い割合だ。

ロシアの教育費の対GDP比はわずか二・四%であり（OECD諸国の平均値は五%）、医療費は五・六％だ（フランスは一〇％、アメリカは一六％）。

ロシアの行政は、透明性に関して世界第一三七位だ。公務員のおよそ二七％は、賄賂を受け取ったことがあると見られている。

ロシアの天然ガスと石油の生産高は、ＧＤＰのおよそ一八％だ。ロシアは世界第一位のパラジウムの産出国（世界の産出量の四五％）であり、世界第三位の産油国だ（世界の産油量の一〇％）。レアアースの埋蔵量は一二〇〇万トンだ（世界全体の一〇・三％）。ロシアの確認埋蔵量が世界全体に占める割合は、石油が六・二％、天然ガスが二〇％だ。鉄鉱石の埋蔵量は世界第三位、錫は世界第七位、鉛と石炭は世界第三位だ。

今日の「周縁」

ラテンアメリカ

ラテンアメリカの人口は六億五五〇〇万人であり、世界のＧＤＰの五・六％を生み出している。

一人当たりのＧＤＰは八三〇〇ドルだ。主力産業は現在も農業と鉱業だ。

チリは、世界の銅の三分の一を生産している。ペルーは銀と銅で世界第二位、金で世界第六位の生産国だ。ブラジルは、大豆、粗糖、冷凍牛肉、木材パルプ、鶏肉の世界第一位の輸出国だ。

ラテンアメリカは、コカインの世界最大の供給地域だ。ボリビア、コロンビア、ペルーの三ヵ国で、コカの葉の生産を独占している。国連薬物犯罪事務所によると、ラテンアメリカでの薬物の生産量は、二〇二〇年に一九八二トンと過去最高を記録したという。これは二〇一四年の二倍に相当する量だ。

メキシコでは、麻薬カルテルがＧＤＰの二％を稼いでいると言われている。アメリカ当局によると、ロス・セタスという麻薬カルテルは「メキシコで活動する犯罪組織の中で最も高度な技術を持ち、暴力を駆使するきわめて危険な集団」だという。また、シナロアという麻薬カルテルは、およそ一〇万人の武装勢力を持つという。二〇〇六年以降、メキシコではこれらの麻薬カルテルとのかかわりで、およそ二〇万人が殺害された模様だ。これらのカルテルは、自治体の五〇％以上を支配しているようだ。

二〇二〇年、ラテンアメリカから北アメリカに移民した人口は、二五〇〇万人以上だった。二〇二二年には、さらに大勢の人々が国境を越えた。

アフリカ

今日、ホモ・サピエンス誕生の地であるアフリカの人口は世界の一八％に相当するが、アフリカのGDPは世界の三％にすぎない。アフリカの人口は、二〇世紀初頭の一億二四〇〇万人から二〇二三年には一四億人へと急増した。耕作地の面積は、三億五〇〇〇万ヘクタールだ（EUの耕作地の二倍以上）。

アフリカは今日においても、欧米諸国、ロシア、中国の企業によって搾取されている。これらの企業は、アフリカにおいて安値で買い叩いた原材料を他の地域で加工している。よって、アフリカの人々は貧困に追いやられ、まともな教育を受けられない状態にある。

アフリカの人口のおよそ六〇％は、直接的および間接的に森林から生み出される製品あるいはサービスに依存している。

世界の未開発の耕作可能な土地の四分の三は、アフリカにある。

アフリカの人口のおよそ三〇％に相当する四億九〇〇〇万人は、一日一・九ドル以下の生活を強いられている。都市部の住民の七八％は、貧民窟で暮らしている。この割合は、エチオピアでは九九・四％だ。アフリカのサブサハラ地域における一五歳以上の非識字率は三三％だ。

二〇二三年において、アフリカで裕福な国の上位五ヵ国は、ナイジェリア、エジプト、南アフリカ、アルジェリア、モロッコだ。有望な国の上位五ヵ国は、コートジボワール、セネガル、ケニア、ナイジェリア、エチオピアだ。

アフリカの一人当たりのエネルギー消費量は、〇・五トン（石油換算）だ（世界の平均は一・二トン）。世界における再生可能エネルギー投資のうち、アフリカ向けはわずか〇・六％だ。

以上が、三〇万年間にわたって人類が活動してきた今日の世界の概要だ。

第四章

商秩序の二二の法則

太古より、哲学者、歴史家、社会学者、経済学者は、さまざまな法則を見つけ出そうとしてきた。まず、天候を予測し、水、小麦、食肉の入手可能性を予想するための法則、次に、それらの価格、雇用、金利、株価、テクノロジー、消費動向、自然環境の推移を占う法則、そして脅威、軍隊、文化、慣習、ファッション、価値観、イデオロギー、社会階層間や国家間の力関係を見定めるための法則などだ。また、世界を支配する陰の勢力を探り当てようとする者もいた。

だが、私は社会の推移を説明するための普遍的な法則が存在するとは信じていない。陰の勢力が世界の行方を牛耳っていることを暴く、あるいは人間の行動を説明するには商取引の慣行を調べるだけで充分だとも思わない。所有制度、さらにはもっと広範な経済制度が人間の行動に大きな影響をおよぼしているとしても、人間の行動は、経済制度だけによって決定されるとも見なしていない。また、物価、経済成長、雇用状況などのシンプルなデータを用いた経済モデルはもちろん、複雑な数式を用いた数理モデルを駆使しても、現在を読み解き未来を予測できるとは考えていない。

ところが、これまで未来予測のためにさまざまなモデルが構築されてきた。民主主義の輝かしい未来あるいは失敗、資本主義の圧倒的な勝利あるいは崩壊、一次産品の潜在利用可能量あるいは枯渇を予測するために、数多くのモデルが利用されてきた。短期的な未来であっても不正確な予測しかできないのにもかかわらず、どういうわけかそれらの一部はまだ利用されている。それらのモデルでは、トレンドの延長線上にあることであっても予測できない。ましてや、二〇〇七年末の金融危機や、二〇二一年末のインフレ率の上昇などの急変は予測できなかった（しかしながら、双方の急変とも完全に予測可能だった）。

世界の現在と未来を読み解くための私の考える最善の方法は、できるだけ広い視野から考察することだ。地政学、テクノロジー、イデオロギー、社会、環境、文化、芸術の側面から過去の出来事を考察し、そこから商秩序にしか当てはまらないが、その商秩序が続く限り未来の「取扱説明書」になりうる法則を導き出すことだ。

先ほど述べた「歴史」から私が導き出した法則は、次の通りだ。

1. 一〇〇〇年前、商秩序は、公的および私的な稀少財の管理と分配を司る最適な組織形態として登場した。しかしながら、商秩序には、人々の平等や自然保護という配慮はなかった。商秩序の二つの重要な側面は、資本主義とこれを支える国家だ。商秩序が登場する以前の儀礼秩序と帝国秩序は、今日の商秩序においても、かたちを変えながらも現存しており、商秩序の発展を妨げている。

2. 歴史のどの瞬間においても、商秩序は「心臓」を中心に「形態」をつくり出す。「心臓」は「形態」の特徴を生み出し、社会の推移を予見し、市場を管理し、剰余を蓄積して「心臓」

としての特権を保持する。よって、「心臓」には、将来の欠乏への対応、物質的・政治的・知的な交流、「心臓」の防衛費を賄うための富の生産のために、やる気のある若者が必要になる。「心臓」の周囲には、「中間」と「周縁」がある。両者との交易条件を決めるのは「心臓」だ。

3. 商秩序の「形態」のおもな主人公（商人、産業家、金融業者、彼らを支援する政治家）は、「心臓」に集まる。彼らは、個人の自由と民主主義を必要とする。なぜなら、自分たちの所有権と産業を保護し、収益の見込めるイノベーションを実行に移し、自身の利益を守るには、「心臓」は法が支配する安定した社会でなければならないからだ。つまり、専制的な権力が商人と企業の繁栄に必要な政治的自由を抑圧し続けることはできないのだ。

4. 「心臓」が衰退するのは、己の永遠の繁栄を信じたとき、計画がなくなったとき、未来を分析できなくなったとき、若さが失われたとき、防衛手段を持たなくなったときだ。そして、「形態」は「心臓」とともに消滅する。

5. 「形態」と「心臓」の終焉に先立ち、「心臓」では貨幣価値が激減し、金融市場が崩壊する。これが引き金となり、この「形態」と「心臓」の持続性に対する商秩序の信用は失われる。

6. 新しく「心臓」になるのは、新たな計画に優秀な人材と資本を集めることのできる、意欲ある人々が集まる場だ。つまり、あるサービスを効率的なモノに置き換えることによって、人間の新たなニーズを満たすという計画を実行する者たちが集う場だ。そのためには、「心臓」はエネルギーとコミュニケーションの分野におけるイノベーションを推進し、これらのイノベーションによって生まれる新たな財の需要を喚起し、己の特権を守る防衛体制を整える必要がある。こうして、新たな「心臓」の通貨は、国際貿易において主要な地位を得て、「心臓」の周辺には新たな「形態」がつくり出される。

7. これまでに九つの「形態」と「心臓」があった。すなわち、九つの主要なテクノロジーが誕生し、おもに九つのサービスが人工物によって代替されてきた。

8. 「形態」が移り変わるたびに、サービスと自然の人工化が進行した。商業化されていなかったものが商業化された。集団向けのサービス（戦う、努力する、食べる、住む、身を守る、移動する、連絡を取る、伝える、楽しむ、つながる）は私有財、そしてモノになった一方、新たな欲望はニーズになり、このニーズを満たすサービスが登場した。

9. 「形態」が移り変わるたびに、賃金労働者の労働時間の短縮、労働者の権利の改善、教育水準の向上、平均寿命の延びがあった。「形態」が移り変わるたびに、個人の自由は独裁よりも進化した。同様に、理性は信仰よりも、市場と民主主義は集団の富を分配する他の方法よりも、ノマディズムは定住化よりも進化した。

10. 「形態」が移り変わるたびに、市場は国よりも優位に立った。市場には元来、地理的、部門的な境界がない。一方、国家は民主主義であれ独裁主義であれ、地理的、部門的な境界に縛られている。よって、国家は市場と同じペースで領土や介入領域を拡大することが困難だ。こうして、企業、資本家、金融システムの権力は、さらに強化された。

11. 「形態」が移り変わるたびに、個人の自由は、貪欲、裏切り、目先の利益を擁護するようになった。風景、土壌、言語、文化、料理、音楽などの自然な多様性は減少する一方、生産物の多様性は増加し、権力の源泉である富の一極集中は加速した。「形態」が移り変わるたびに、人類は天然資源の枯渇を進行させ、増え続ける廃棄物で環境破壊を悪化させ、さらに多くの生命を奪っている。「形態」が移り変わるたびに、自然、人間関係、生き物の人工化により、人類という種のサバイバルに必要な基盤が破壊されている。

12. 「心臓」になってその地位を維持するために必要な資質は、人類、地球、国家、文化、組織、企業、そして個人のサバイバルにも必要だ。環境を尊重すること、欠如という課題に立ち向かう術を会得すること、自分しかできないこと見出すこと、長期的な計画を持つこと、説得、誘惑、自己防衛、将来の災難に備えることなどの術を習得することだ。

第五章

二〇五〇年ごろ

——三つの袋小路

海洋でヨットが航行する写真を眺めているとしよう。進行方向、風向き、潮流、船体と艤装の状態、乗組員の能力、迫りくる試練などに関する情報がなければ、われわれはこのヨットの進行方向もわからなければ、このヨットが安全に航行できるかについても語ることができない。逆に、これらの情報があれば、精度の高い予想を立てることができるはずだ。

しかしながら、いまだに多くの人々がこのヨットの例と同様、個人、企業、国家、地球についても、これまでの旅や「歴史」のエピソードから教訓を得ようとしても無駄だと考えている。このように考える者たちは、「未来は運・不運や劇的な出来事に左右されるのだから、未来予測を試みても無意味だ」と述べる。

このように論じる彼らは、たとえばキリスト教への優遇政策を廃止して背教者になったローマ皇帝フラウィウス・クラウディウス・ユリアヌス〔在位：三六一年〜三六三年〕が、わずか二〇ヵ月ほどの在位で終わるとは予見できなかったはずだと説く。同様に、一九八五年にミハイル・ゴルバチョフがソ連の実権を握るとは誰も予想していなかったはずだと語る。

前者のエピソードに関しては、ユリアヌスの在位がこれほど短期間でなかったのなら、キリスト教に甚大な影響が生じていたかもしれない。後者のエピソードについても、ゴルバチョフが登場しなければ、ソ連共産党は存続していたかもしれない。

それでも、本書で訴える私の主張が弱まることはない。なぜなら、意外な出来事が物事の流れを変えることがあるとしても、それらは過去の法則が予測する推移を遅らせるか加速させるだけにすぎないからだ。物事の方向性が持続的に妨げられることはない。さらに、これらの一見したところ予見できないような出来事であっても、長い「歴史」においては、常に意味を見出すことができる。

第一ニカイヤ公会議からおよそ四〇年後の三六三年、キリスト教はローマ帝国にすでに定着していた。よって、たとえローマ皇帝であっても、キリスト教を排除することはできなかった。

一九八五年、著しく衰退していたソ連共産党にとどめの一撃を加える者が権力を掌握するのは、驚きではなかった。遅かれ早かれ、ゴルバチョフのような人物は現れたはずだ。

そうはいっても、ある行動によって明るい将来を約束された国が崩壊したり、逆に予想された衰退から脱したりすることもある。そのような場合であっても、未来を予測し、その方向性を制御するには、先ほど述べた法則から着想を得ることができる。

そこでまずは、少なくとも今後の三〇年、われわれは稀少性の支配のもとに暮らし、これまで通りに、分配を司るのは、公共財の場合では国、私有財の場合では市場という、きわめて妥当な仮定から考察してみよう。

では、先ほど掲げた一二の法則と未来に関する利用可能なあらゆるデータに基づき、およそ三〇年後の二〇五〇年における、力関係、富、慣習、価値観、イデオロギー、芸術、戦争、危機、感染症、悪との関係を予測できるだろうか。国、産業、職業は、どうなっているだろうか。第九の「形態」は幕を閉じるのだろうか。現在の「心臓」は代替わりするのだろうか。もしそうなら、その後継の「心臓」は、四回連続でアメリカになるのか。あるいは、中国、ヨーロッパ、インド、それら以外の地域なのか。それとも、権力の所在が不明になるのだろうか。世界最大の企業はどんな会社だろうか。企業が国家よりも優位になるのだろうか。非政府組織（NGO）は、グローバル・ガバナンスにおいて大きな役割を担っているだろうか。国際機関はどうなっているだろうか。一つないし複数の宗教が支配するという儀礼秩序や、軍事独裁主義に基づく帝国秩序に戻ることはありうるのだろうか。今後の三〇年間で、生物学、数学、物理学は、どのような成果をもたらすだろうか。そしてそれらの研究は、人工知能、遺伝学、バイオミメティクス〔生物模倣技術〕、気候変動の制御などにおいて、どのように応用されるのだろうか。これらの技術革新は、人々の生活にどんな影響をおよぼすのだろうか。市場にのみ込まれて人工物に置き換えられるのは、どのようなサービスなのだろうか。商秩序は、環境、社会、政治の面で限界に達し、その存在意義自体が問われるようになるのだろうか。気候変動によって、人類は地球で暮らせなくなるのだろうか。人類は愚行を重ねて滅亡するのだろうか。それとも、新たな秩序を生み出すことによって、迫りくるあらゆる危機から逃れることに成功するのだろうか。成功する場合、それは厳格な配給制度によってであろうか。それとも、稀少性を克服することによってであろうか。避けるべきおもな間違い、断行すべきおもな改革、個人の最適な行動とは何か。本人の居場所を問わず万人に役立つ「世界の取扱説明書」を作成するのなら、それはどのような内容だろうか。

以上が、本書でこれから回答を試みる疑問だ。私は、過去から導き出す教訓と未来についてすでにわかっていることに基づき、論証を進める。

私の論証が、世界政府を構築するといった夢物語でないことはご理解いただけると思う。そのようなものは存在しないし、今後もしばらくの間は存在しないだろう。重要なのは、最善の行動をとるためにこれから起こるだろう出来事を把握すること、つまり、全員に「世界の取扱説明書」を配布することだ。

私の推論を要約すると、最も可能性の高い未来は次の通りだ。

生産、交換、商売によって生み出される富の蓄積を司るのは、依然として商秩序だ。商秩序は、地政学、政治、価値観を支配し続ける。第九の「形態」は崩壊する。**アメリカは第九の「形態」を維持しようと試みるが、失敗に終わる。**これが**第一の袋小路**だ。二〇五〇年のアメリカは、経済、地政学、文化の面で支配的な勢力ではなくなり、第一〇の「形態」が登場する。

最も可能性が高いと思われるシナリオでは、「心臓」は東洋に向けての旅を続ける。ブルッへ、ヴェネツィア、アントウェルペン、ジェノヴァ、アムステルダム、ロンドン、ボストン、ニューヨーク、カリフォルニアを経て、中国のどこかの都市へと移り、またしてもサービスを個別化する新たなツールが導入される。今回は、防犯や医療などの予防サービスが個別化される。以上が、最も起こりうるシナリオだ。

しかしながら、未来はこのシナリオ通りには進行しないだろう。なぜなら、今後の三〇年間で商秩序は九〇〇年前に始まって以来の、**「心臓」が単に移動するだけでは解決できない激震に見舞われる**だろうからだ。これが**第二の袋小路**だ。

そこで**「心臓」のない「形態」、つまり国が市場を支配することなく市場が世界を支配するという商秩序の定着が試みられるが、この試みは失敗に終わる**だろう。これが**第三の袋小路**だ。この袋小路を突き進もうとすると、人類は、**気候、超紛争、人工化という三つの致命的な脅威に直面する**ことになる。

これらを事前に把握しておくことは、これらの脅威に対する準備や回避に役立つはずだ。これこそが、今後三〇年間において肝要なことだ。

もちろん、誰もが「自分は常に他者とは異なる瞬間を生きている」と考えていることは承知している。われわれは瞬間に生きているのだから、生きている瞬間は個人によって異なる。よって、私が現在という時間を一般化しているという批判はあるだろう。その判断は、本書を読み終えた読者に委ねる。

第一の袋小路――第九の「形態」の維持

われわれを待ち受けることを詳細に把握するために、まずは二〇五〇年の世界像について、すでにわかっていることを整理してみる。その際、第九の「形態」が継続し、すべての分野において現在の傾向が変わらないと仮定する。当然ながら、提示するのは大雑把な予測であり、変化する可能性は充分にある（これから提示するほとんどの予測は、他の二つのシナリオにおいても有効だ）。

人口の中位仮説によると、世界の人口は九五億人に達する（アフリカは二五億人、インドは一七億人）。人口規模では、ナイジェリアはアメリカ、トルコはロシアを超える。出生数では、アフリカはアジアを超える。世界の合計特殊出生率は二・五から二・二へと減少する。だが、たとえばイタリア（〇・七）とニジェール（四以上）のように、合計特殊出生率は国によって大きくなばらつきがある。これは地域によっても同様だ。世界の平均寿命は七二歳から七七歳へと延びるが、欧米では短くなる。人類の六人に一人は六五歳以上になり、八〇歳以上の人口は三倍になる。平均年齢は、アフリカが一七歳、ヨーロッパが四二歳になる。

世界人口の三分の二以上が都市部で暮らす（二〇二三年のこの割合は五五%）。人口一〇〇〇万人以上の都市の数は五〇になる（二〇二二年の数は二九）。世界の都市部の人口増の三分の一は、インド、中国、ナイジェリアにおいてだ。新たな都市をつくり、既存の都市を拡張するには、一〇〇万平方キロメートルの土地を開発しなければならない。よって、一人当たりの耕作可能な土地の面積は、二〇%ほど減少する。GDPの八〇%以上が都市部で生み出される。

二〇五〇年には移民人口はおよそ四億人、つまり、世界人口の四・二%くらいになる。また、自国内で移動を強いられる人口も、さらに急増する（アフリカのサブサハラ地域では四〇%、アジアでは四一%）。

最も話者人口の多い言語は、ヒンディー語、北京語、スペイン語、英語、アラビア語、フランス語になる。話される言語の数は、さらに減少する。ただし、そのころまでに自動翻訳技術の発達を通じて、誰もが自分の言語で話したり書いたり、あらゆる言語で聞いたり読んだりできるようになれば、言語の数は減少しないだろう。だが、そうなると外国語を学ぶ必要性が薄れる。そして、ほとんど忘れ去られていた多くの言語と文学、そしてきわめてローカルなメディアが復活し、誰もが自己の殻に閉じこもるようになる。同様のメカニズムが働き、国の数が増える。たとえば、ナイジェリア、コンゴ民主共和国、マリなどのアフリカ諸国、そしておそらくロシアも分裂する可能性がある。

テクノロジーは飛躍的な進歩を遂げる。コンピュータの演算速度は、二〇五〇年にはおよそ二〇〇万倍になり、現在の一・一ＥＦＬＯＰＳ（10^{18}）からＹＦＬＯＰＳ（10^{24}）になる。こうして、これらの技術は物理的な限界に達するだろう。二〇三五年ごろには、「重ね合わせ」（システムの特性は観測しない限り確定しない）と「もつれ」（遠く離れていても同じように反応する二つの粒子）を利用する量子コンピュータの時代が訪れる。現実はこれまで以上に、ビジネス・ツールやビデオゲームによってシミュレーションされる。苦痛をともなう作業は、音声で命令できるロボットがこなす。数多くの作業（トラクター、トラック、自家用車、電車、飛行機の操作）は、機械によって行われる。機械の故障時期は、かなりの精度で予測できるようになる。

未来の職業は、今日とは大きく異なっているだろう。グラフィックデザイナー、銀行員、運転手、法学者、通訳者、金融アナリスト、会計士、商人などの職は、ソフトウェア（とくにチャットＧＰＴ）やロボットが代行する。二〇五〇年に存在するだろう職業の少なくとも八〇％は、二〇二三年には存在しない。これらの職業は、人工知能、生物学、遺伝学、バイオミメティクスを利用し、伝達、教育、ケア、共感を必要とする作業を対象にする。とくに、人工知能の活用により、アメリカとヨーロッパの雇用の四分の一に相当する数億人の雇用は消失する。

エネルギー分野に関しては、ITER（フランスに設置された国際熱核融合実験炉。EU、中国、インド、日本、韓国、アメリカ、ロシアが参加）などの核融合発電が準備段階に入る。一〇〇メガワットアワーの核融合発電所が必要とする年間の重水素は一二五キログラムであり、同規模の出力の石炭火力発電所では、二七〇万トンの石炭を必要とする。さらには、廃棄物の量は、現在の原子力発電所よりもはるかに少ない。核融合発電所は、石炭や石油と同量の燃料を投入することによって、一〇〇〇万倍ものエネルギーを生産できる。

人口の増加、これらの技術進歩、利用可能な資本のさらなる増加により、生産性は向上し、世界経済は現在とほぼ同じペース（年率三％）で成長し続けるだろう。最も可能性の高い仮定として、地球人全員が今日のアメリカ人のような生活を送ることを目指す場合、二〇五〇年には世界のGDPは二倍になり、二〇二三年と比べて、各地球人の需要は五〇％増加する。

九五億人の世界人口を養うには、世界の農業生産を七〇％増加させなければならないだろう（とくに食肉。鶏肉が二億八〇〇〇万トン、豚肉が二億三〇〇〇万トン、牛肉が一億五〇〇〇万トン）。そのためには、窒素肥料とリン酸肥料の大量使用、工業的な畜産、魚（おもに草食魚）の大規模な養殖が必要になる。後ほど述べるが、これらの方策は、海洋と土壌の生命を脅かす。

淡水の消費量は、農業でおよそ一五％、工業でおよそ三〇％増加するだろう。淡水のすべての用途を合計すると、二〇五〇年の一人当たりの年間消費量は、およそ四七五立方メートルになる一方、住民一人当たりの再生可能な淡水は、およそ五四〇〇立方メートルもある。

おもに、南アメリカの地中に眠る人類にとって最後の淡水資源が利用され始める。二〇二五年には、人類の半分から三分の二が水不足に悩まされ、二〇五〇年には、五〇億人以上が深刻な水不足に陥る。使用済みの水を大量に再利用し（イスラエルやスペインの一部ではすでに行われている）、大量の海水（地球上の水資源のおよそ九八％）を淡水化する方法を開発しなければならないだろう。

このシナリオでは、二〇五〇年の自動車の保有台数は三〇億台になる（現在のおよそ二倍）。電気自動車は二〇二三年の二〇〇〇万台から七億台くらいに増えるはずだ。だが、これらの電気自動車の少なくとも半数は、石炭火力発電所の電力を利用するはずだ。

コンテナの数は三倍に増える。およそ年間二〇〇〇万便の旅客機で延べ八〇億人が空の旅をする。

セメントとプラスチックの需要は、三倍に増加するだろう。建築資材に対する需要は一九七〇年から三倍になったが、今後さらに少なくとも二倍に増える。黒鉛、コバルト、チタン、リチウム、そしてレアアースと呼ばれる一七種類の元素に対する需要は六倍になる。このペースで増加すると、レアアースは二一〇〇年ごろに不足する。二〇五〇年以前に確実に不足する唯一の一次産品は木材だ。砂はまだ豊富にあるだろうが、必要とされる場所では（必要な特性を備えた）砂が不足する。

世界のエネルギー消費量は、およそ五〇％増加する。消費量全体に占める現在の途上国の割合は倍増する一方、ＯＥＣＤ諸国の割合は低下する。この傾向が続くと、二〇五〇年のエネルギー源の内訳は、再生可能エネルギーが三五％（二〇二二年は一二％）、石油が二〇％（三一・三％）、天然ガスが二〇％（二四％）、石炭が一五％（二七％）、原子力が一〇％（四％）になる。

電力需要は八〇％増加する。増加分の八五％は、インドをはじめとする現在の「周縁」の需要だ。世界の発電の七〇％は、クリーン水素などの再生可能エネルギーで賄われる（現在は三〇％）。天然ガスは一一％、原子力は一〇％、残りは、石炭や石油などの化石資源だ。

このシナリオでは、天然ガスの需要ピークは二〇二三年、石油は二〇三〇年だ。ピーク時の石油需要量は、日量およそ一億一五〇〇万バレルだろう。石炭の需要ピークは二〇三五年ごろだ。このとき、化石資源がエネルギー源全体に占める割合はおよそ六〇％になり、ようやく化石資源は需要ピークを迎える。

このシナリオでは、化石資源の確認埋蔵量が枯渇するのは、現在の消費ペースで計算すると、石油が五六年後（つまり、二〇八〇年）、天然ガスが五四年後、石炭が一四〇年後だ。

すでに発表されている気候変動に関するデータを真剣に受け止める一部の国（ＥＵ、ブータン、スリナム、イギリス）は、カーボンニュートラルを目指すだろう。しかしながら、今日の大気中の二酸化炭素濃度である四一五ppmは、五三〇ppmから七五〇ppmくらいまで上昇する。気候が変動し始めた一九八八年の三五〇ppmを大幅に上回るこの濃度により、地球の表面温度は、四度から七度〔摂氏〕も上昇する恐れがある。

このシナリオでは、移動、教育、医療、安全、公的および民間の保険への支出（税金あるいは保険料）が増え、これらのサービスの対GDP比は大幅に増加する。これらのサービスに対する支出は世界中で対GDP比のおよそ五〇％にもなる。よって、経済成長は鈍化し、消費者はますます借金漬けになる。

世界最大の企業は、金融、データ管理、医療、水資源、クリーンエネルギー、保険、電池、オンライン・ショッピング、インフラ、娯楽の分野に登場する。贅沢品の市場規模は、依然として対GDP比の一‰以下だろう。ほとんどの企業は、倫理的と見えるようにあらゆる手段を講じる。付加価値の分配に占める資本家が手にする割合が低下することはないだろう。それどころか、新たなテクノロジーにより、労働者のプロレタリアート化は進行し続ける。

第九の「形態」がサバイバルするというこのシナリオでは、すでに堆積している八〇億トンのプラスチック廃棄物に、毎年発生する二〇〇〇万トンが加わる。よって、海中のプラスチックの重量は、魚、軟体動物、サンゴの重量を上回るだろう。海中の廃棄物には、食品、ガラス、木材、金属も増える。これらの廃棄物により、海洋だけでなくすべての生物が死滅する恐れがある。

ところが、このシナリオが実現するよりもかなり以前に、未曽有の金融危機が発生する。借金を現在のペースで積み上げることは、貸し手が許さないだろう。歴史を振り返ると、巨額の公的債務を減らす方法は三つしかないことがわかる。すなわち、経済成長（必要な経済成長率を達成するのはほぼ不可能）、インフレ（中産階級の暮らしを破綻させる）、そして戦争だ（すべてが破壊される）。

第九の「形態」は、この未曽有の金融危機に耐えられず、新たな「形態」と「心臓」をこれまでにないサービスの人工化によって構築しようともがきながら消えてしまうに違いない。

第二の袋小路——一〇番目の「心臓」と「形態」

では、一〇番目の「心臓」はどこなのだろうか。

化石燃料の利用形態や、消費財を中心とする経済成長の原動力に変化がないと仮定し、各国の経済成長率を考慮して各国の経済力をGDP（購買力平価）で計測すると、二〇五〇年の世界ランキングは、中国、インド、アメリカ、インドネシア、ブラジル、ロシア、メキシコ、日本、ドイツ、イギリスの順になる。ちなみに、恒常ドル換算のGDPのランキングは少し異なり、中国、インド、アメリカ、インドネシア、日本、トルコ、ドイツ、ブラジル、ロシア、メキシコの順になる。EUをこのランキングに加えると、第四位になるだろう。別のランキングでは、中国、インド、アメリカ、日本、ドイツ、イギリス、ナイジェリア、インドネシア、フランス、トルコの順だ。

一人当たりのGDPのランキングも、今日と大きく異なる。韓国、アメリカ、EU、ノルウェー、スイス、オーストラリア、アイスランド、チェコ、カナダ、オーストリア、オランダ、中国、スウェーデン、イギリス、日本、ドイツ、ベルギー、イスラエル、フィンランド、ロシア、カザフスタン、デンマーク、フランスの順だ。ただし、このランキングには、産業が産油やタックスヘイヴンだけの国は含まれていない（例：カタール、クウェート、シンガポール、ルクセンブルク、バーレーン、香港、アラブ首長国連邦、台湾、マカオ）。

このとき、「心臓」はアメリカのどこかの地域に位置しているかもしれない（そうなれば四度目になる）。

アメリカの軍隊は、まだ世界最強だろう（新たなタイプの武器が開発される。これについては後ほど述べる）。アメリカは、太平洋地域とオーストラリアに海軍を配備しているだろう。

アメリカのデジタル産業は引き続き繁栄し、事務仕事の自動化に必要なほとんどの技術を支配し続ける。

アメリカの人口は三億七五〇〇万人になり、その八〇％が六五歳未満だ。今日と同様、移民受け入れはアメリカの活力だ。

アメリカのＧＤＰ（購買力平価）は、およそ四〇兆ドルになる。これは世界シェアの一五％に相当する（二〇二三年は一三％）。一人当たりのＧＤＰ（購買力平価）は、それでも韓国に次いで世界第二位であり、二〇二三年と比べると七〇％増加している。

四つめの「心臓」になる可能性があるのはテキサスであり、テキサスの人口はおよそ四〇〇〇万人になる。テキサス州ヒューストンがアメリカ最大の港になる。すでに将来性のある大企業は、ヒューストンに拠点を置いている。オラクル、テスラ、ヒューレット・パッカードなどのシリコンバレーの大企業も、ヒューストンに移転している。また、有能な人材や投資を呼び込むために尽力しているマイアミも「心臓」の候補だ。

しかしながらこのシナリオでは、アメリカは、環境、宗教、社会、民族、政治などの面で深刻な問題に直面する。

アメリカ軍は世界最強の座を明け渡す。たとえば、現在の計画では、二〇五〇年の軍艦の数は、今日よりも六〇隻多いだけの三五〇隻だ。これは、中国の計画する増隻数を大きく下回る。

アメリカは、未来の技術の牽引役でなくなる（例：医療、教育、娯楽、治安などのサービスを人工化する際にきわめて重要な人工知能）。

アメリカでは、武器と薬物の使用が増え、治安が極度に悪化する。とくに、アメリカの多くの若者は、薬物の使用によって身を滅ぼす。

教育と医療の利用面での不平等、社会的少数派の排除、地域間格差、国内（西海岸、中部、東海岸）のイデオロギー面での分断、人口の少ない州に権力を集中させるという政治制度面での不平等などが原因になり、一部のアメリカ人は、国の分割や非民主的な政府の確立といったアイデアを唱え始める。

いずれにせよ、警察官、裁判官、刑務所、貧困層への補助金、依存症回復支援施設が、さらに必要になる。

アメリカの公的債務は、対GDP比で二〇〇％になる。ドルは基軸通貨ではなくなり、国際貿易の決済において占める割合は、現在の三分の二から半分になる。

さらに、このシナリオでは、猛暑日の頻度は、今日の七日に一日から三日に一日になる。四日に一日は火災が発生し、アメリカ人口の四分の三が火災の影響を蒙る。また、深刻な水不足に苛まれる。

アメリカ政府が帝国維持のために自国の法律を外国に押し付けるなど、あらゆる手段を講じたとしても、実権を握るのはアメリカ政府ではなく、プライベート・エクイティ・ファンドやデータ管理会社だ。彼らは、今日よりもさらに多くの富を手中に収め、多くの分野で社会的な規範を課し、政府の要求に従わなくなる。

結論として、アメリカは国内に問題が山積し、世界の警察官であることを断念せざるをえなくなる。アメリカはイギリス（非常に大きなネットワークを持ち、自国の言語、大学、メディア、市民社会に宿る影響力を駆使する）をはじめとする忠実な同盟国（あるいは属国）を頼りにするが、ロシアや中国などの敵がおよぼす直接的な脅威にしか、対応しなくなる。

中国はどうか

この一〇番目の「形態」において、次の「心臓」を迎え入れるためのすべての条件が揃っているのが中国だ。今日、多くの人々は、この見方を当然視している。

二〇五〇年、中国の軍事力はアメリカに迫る。大方のシナリオでは、中国共産党は、国民の欲望や怒りを敏感に察知しながら依然として権力を維持する。

中国は、現在の経済成長率（年率四％）を維持すれば、二〇五〇年には世界第一位の経済大国になっているだろう。中国のGDPは、二〇二〇年のおよそ三・二倍のおよそ五八〇億ドルだ（二〇一六年の恒常ドルの購買力平価換算）。中国のGDPの世界シェアは、二〇％から二五％くらいになる。北京大学教授の钟伟（ゾン・ウェイ）は、「二〇三五年から二〇五〇年にかけて、中国の経済力は、秦と漢の時代〔紀元前九〇五年〜二二〇年〕とほぼ同じ水準に達するだろう。中国のGDPの世界シェアは、一八四〇年までと同様の二五％から四〇％になる」と予測する。一人当たりの所得は、ほぼ三倍になっている。

中国の産業は、未来の主力テクノロジーの牽引役になる。たとえば、人工知能や遺伝学だ。中国企業はこれらのテクノロジーを発展させる際に、プライバシーに関する規則を遵守することなく国内の莫大なデータを利用する。人工知能を搭載するカメラにより、背後からでも人物を識別し、人物の行動や体温の急激な変化を分析し、生徒や労働者の集中力を常時監視する。さらには、脳神経の動きから「潜在的な犯罪者」を見つけ出す。

このシナリオでは、中国は科学雑誌の論文掲載数で世界第一位の座を維持する。また、巨大な国内市場と世界市場において、消費、流通、工作機械、ロボット、再生可能エネルギー、未来の財などにおいて、圧倒的な存在感を示す。そして世界に先立ち、医療、教育、治安などのサービスを自動化させる。

中国のレアアースの生産量は、世界シェアにおいて依然として断トツだろう。

中国の五大都市は、上海、北京、広州、深圳、成都だ。レアアース生産との関連で内陸部にいくつもの巨大都市が開発される。中国の港は引き続き、世界ランキングの上位に位置する。

中国は韓国のソフトパワーを真似て、自国のSNS、映画、音楽を通じて、世界に大きな影響をおよぼす。今日、中国のSNSであるティックトックは、中国人以外の若者に対して中国のイメージを向上させようとしている。

西側諸国とロシアとの戦争は、またしても紛争から距離を置いた国に有利に働くだろう。中国はロシアをはじめとする隣国よりも優位になり、三〇年後には、ロシアの領土の一部を併合することも考えられる。いずにせよ、中国とロシアは、西側諸国にとって恐るべき敵になるだろう。

しかしながら、多くの専門家と異なり、私は、二〇五〇年に中国が世界の経済と政治の「心臓」を迎え入れるとは思わない。第一に、「心臓」になるには、イデオロギー、外交、金融、経済、軍事の面で、世界を支配しなければならないからだ。ところが、これまで中国はバランスの取れた多国間主義に関心を抱かず、自国中心主義の「中華帝国」で満足してきた。また、中国文化は西洋文化と異なり、普遍主義ではない。

二〇三五年、現在の傾向に変化がなければ、中国は食糧の三五%をアフリカやラテンアメリカから輸入する。食糧供給の安定確保が、きわめて重要になる。よって、派兵まではやらないにしても、アフリカ、ラテンアメリカ、ロシア、ヨーロッパの農地、そして農産物の輸送拠点になる外国の港を支配するようになる。

今後、中国の人口動態は破滅的な状況に陥る。人口は減少し始め、二〇五〇年には一三億人になり、その後、さらに急減する。人口の急減によって、労働力不足が深刻化する。中国社会では、就労による女性の経済的な独立と少子化による育児の軽減が進行しただけに、若い中国人女性は、子供をたくさん産もうとしないだろう。

中国は、豊かになる前に高齢化する（中国人の三〇％は六五歳以上）。高齢者に対する医療費がかさむが、経済は以前のような勢いを失っている。さらには、中国や外国の投資家は、中国共産党の自国企業を支配したいという思惑を毎日のように目の当たりにし、中国での投資に消極的になる。多くの中国人起業家や西側諸国の企業は、生産や販売に適した場所を求めて、中国からすでに離れている。この脱中国は今後も続くだろう。

さらに、タックスヘイヴンや産油国を除いても、中国の一人当たりの所得はアメリカの三分の一にすぎず、世界第一一位だ。

独裁国家を続けるのなら、人民元は兌換できず、「心臓」の必要条件である巨大な金融市場の設立や創造的なエネルギーの解放に必要な手段を持つことができない。民主化に踏み切ったとしてもロシアなどと同様、中国は、独裁政権の崩壊にともなう混乱に対処しなければならない。この混乱によって中華帝国は、その長い歴史において何度か経験したような国の解体にまで至る恐れがある。

中国が二〇六〇年までにカーボンニュートラルを実現するという目標を掲げたとしても、このシナリオでは、中国は、非常に深刻な環境問題に見舞われる。中国人口の八五%は、大気汚染(高濃度の微粒子)にさらされる。干ばつの影響により、河川の水量は少なくとも二五%減少し、内陸部の青海省の平原などは砂漠化する恐れがある。青海省の長江上流付近の平原の三分の一は消失し、上海などの一部の都市部では、水位が六〇センチメートルくらい上昇するだろう。

そしてアメリカは、中国が世界最強の国になるのを阻止するためにあらゆる手段を講じるはずだ。たとえば、マイクロプロセッサを製造するのに必要な技術や機械の利用を制限する、さらには、中国が軍事力をつける前に軍事的に叩き潰すことまでやってのけるに違いない。

では、中国以外に一〇番目の「形態」の「心臓」になる候補はあるだろうか。

インドはどうか

そのころのインドの人口は世界第一位だ(世界の人口のおよそ一八%に相当する一七億人。インドは、世界最大のイスラム社会を抱える)。インドの人口に占める若年層の割合は非常に高い(二五歳未満が国民の四〇%、二五歳から五〇歳が三七%、六五歳以上はわずか一五%)。

インドは世界第二位の経済大国になる。近年の経済成長の加速を考慮すると、インドのGDP(二〇一〇年の恒常ドル換算)の世界シェアは、アメリカをわずかに上回る一六%になる。

二〇三〇年、インドの中所得世帯数はおよそ一億四〇〇〇万、高所得世帯数はおよそ二一〇〇万になる。人口の四〇%は都市部で暮らす。極度の貧困に喘ぐ世帯数の割合は、全体の一五%から五%へと減少する。

海賊行為が減少すれば、ムンドラ港(グジャラート州/世界第二六位)とジャワハルラル・ネルー港(マハラシュトラ州/世界第二八位)は、世界のトップクラスに浮上するだろう。

しかし、インドの道のりは前途多難だ。第一に、蔓延する汚職がインドの発展と脆弱な民主主義の障害になる。さらには、何の対策も施さないと、インドは気候変動から壊滅的な被害に遭い、期待される経済成長にも疑問符がつくだろう。ヒマラヤの雪解けにより、大きな河川の氾濫は、今日よりもさらに頻繁に起こる。主要都市(ムンバイ、チェンナイ、コルカタ、ヴァーラーナシー、バーヴナガル、コーチ)、そして西ベンガル州、ケララ州、グジャラート州、オディシャ州などの沿岸部の州では、洪水による深刻な被害が発生する。その一方で、人口の少なくとも四〇%は水不足に悩まされる。

さらに、中国は強敵インドの発展を阻止するために手段を選ばない一方で、インドも中国政府の影響力を制限するためにさまざまな措置を講じる。一例として、インド政府は国内での中国のSNS「ティックトック」の利用を禁止した。中国とインドという、将来の超大国同士が激突する恐れも考えられる。他方、アメリカは両国を弱体化させようと尽力するだろう。

結論として、インドには商秩序の「心臓」になる体力がまだ備わっていないだろう。

EUはどうか

EUにも、一世紀半ぶりに「心臓」を奪還するチャンスがわずかながらある。現在の加盟国の状態なら、EUの人口は四億四〇〇〇万人だ。購買力平価GDPの世界シェアはおよそ九%だろう（現在は一四・八%）。GDPでは、中国、インド、アメリカに次ぐ世界第四位の「国」であり、一人当たりのGDPでは、韓国とアメリカに次ぐ世界第三位だろう。ユーロは、世界で三本の指に入る主要通貨に留まるはずだ。

EUがさらに大きな勢力を得るには、バルカン半島の国々、ウクライナ、さらには民主化されたロシアにまで領土を拡大し、独自の自衛手段を確保し、未来の主要テクノロジー（例：エネルギー、人工知能）を牽引する必要がある。そのためには、従来の競争政策ではなく、インド、アメリカ、中国などのおもなライバル国と同様に、共通の防衛政策と積極的な産業政策を推進すべきだろう。

また、新たなサービスの自動化に必要なテクノロジーを習得し、人口の高齢化を補うための、大胆かつ大規模な外国人受け入れ政策を展開しなければならない。アフリカ諸国とは、平和かつ経済的にバランスの取れた関係を構築すべきだ。ＥＵの団結を強化するには、少なくともＥＵ主要国であるドイツ、イタリア、フランスの政府が見通しを一致させて協調した行動をとる必要がある。だが、これらの実現性はきわめて低い。ＥＵが立ち往生する、さらには崩壊する恐れさえ考えられる。

フランスはどうか

二〇五〇年のフランスは、どうなっているだろうか。フランスは依然として、軍事用および民生用の原子力大国であり続けるだろう。

フランス語の話者人口は、現在のおよそ三億二〇〇〇万人（世界人口の四％）から七億五〇〇〇万人（八％）になっているはずだ。

フランスの人口は七七〇〇万人になり、平均寿命は、男性が九〇歳、女性が九三歳になっている。合計特殊出生率は依然としてヨーロッパで最も高いが、二を下回るだろう。だが、移民の流入によって人口の減少は回避される。引退世代一人に対する現役世代の人数は低下し、その比率は二を下回る。

フランスは、運輸、エネルギー、高級品の分野で活躍する既存の企業に加え、エネルギーおよび環境に関する移行産業（水素、核融合、低炭素の物流）、ハードウェア（電子チップ、マイクロプロセッサ）、繊維、医療、食品などの分野で、巨大企業の出現を促すことができる。だが、その可能性は低い。

フランスは、輸送、暖房、空調などの電化および省エネを追求することにより、二〇五〇年までにカーボンニュートラルを達成できるかもしれない。だが、その際の電力需要は倍増する（二〇二三年の四七五テラワットアワーから八九〇テラワットアワーになる）。よって、太陽光や風力に加えて、原子力発電所の増設や電力貯蔵設備が必要になる。

しかしながら、フランスは途方もない衰退に襲われる。GDPは世界第四〇位、一人当たりのGDPは世界第二五位付近になる見込みだ。脱宗教に基づくフランスの社会モデルは吹き飛ぶ恐れがある。

フランスが成功するための条件は、他国と同じだ。社会正義、国の事業に対する国民の理解、若者のやる気の喚起、教育と医療の充実、社会の流動性向上、有能な外国人の招聘、公共施設の改善などに関して、膨大な努力が必要になる。

気候変動に適宜に対応しないと、他の地域と同様に、フランスも甚大な被害に遭う。とくに、フランスにとって文化的、経済的に重要な農業は、深刻な影響を受ける（水不足、天候不順、収穫時期のずれ、ブドウと果物の味の変化など）。

では、一〇番目の「形態」の「心臓」はどこになるのか。別のランキングによると、二〇五〇年ごろには、マイアミ、ドバイ、シンガポールが栄華を誇るというが、私は、これら三つの都市が「心臓」になるとは思わない。

二〇五〇年に新たな「心臓」が登場するには、アメリカの場合、国内に堆積する膨大な問題を解決し、未来のテクノロジーの主導権と、アジアの地政学的な支配を取り戻す必要がある。だが、その可能性は低い。

中国の場合、一党独裁から抜け出し、法の支配を確立し、汚職を撲滅し、世界の「心臓」になる計画を掲げる必要がある。だが、その可能性はさらに低い。

インドの場合、たとえばムンバイが「心臓」になろうとしても、インドはあまりにも貧しい。

ヨーロッパの場合、ロシアも含めて、政治的、産業的、軍事的に統合する必要がある。だが、その可能性はきわめて低い。

EUでなくヨーロッパのどこかの国が才能のある人材を自国に呼び寄せ、きわめて厳格な法律によって市場を監督し、人権を尊重する強靱な「心臓」になるという可能性はどうだろうか。私は、この想定は現実的でないと思う。

過去一〇〇〇年間の状況とは大きく異なり、商秩序はきわめて強力になり、テクノロジーはノマド化し、地理的に決められる政治力では、商秩序を制御、指導、規制できなくなった。一国の軍隊だけでは、世界中の海、陸、空間、デジタル・ネットワーク、人々の心、反乱を取り締まることができなくなった。一国の金融センターや通貨だけでは、世界市場を制御することができなくなった。

付加価値に占める資本家が手にする割合は、今日よりも高くなることからも、誰も資本の持つ力を制御できなくなるだろう。

世界の他の主要な地域はどうなっているだろうか

ロシアはどうなる

ロシアは衰退するだろう。ロシアの人口は二〇二三年と比較して一五〇〇万人減少する。二〇五〇年、二五歳未満は国民のわずか二五％（二〇二三年は二七・四％）になる。ロシア軍は、依然として世界最強の軍隊の一つだろう（そうはいっても、中国とアメリカ、さらには、インドネシアと湾岸諸国の後塵を拝する）。

ロシアの耕作可能な土地面積は、気候変動によって倍増するかもしれない（フランスの農地全体のおよそ八倍）。北極海航路が切り拓かれ、ロシアの港湾の交通量は五倍に増える可能性がある。

ロシアのＧＤＰは、天然資源のおかげで世界第一五位になる。ロシア社会の深刻な懸念は、汚職に加えて法支配の欠如と政治の混乱だろう。ロシアが三つに分裂することさえ考えられる。すなわち、ヨーロッパ、中国、イスラム世界で、ロシアが三分割されるのだ。

地球温暖化によって永久凍土が融解すると、何千年間も閉じ込められていた数百万トンのメタン（一〇〇ギガトンの二酸化炭素に相当）が大気中に放出される恐れがある。気候変動による大惨事を避けるには、われわれはあと五〇〇ギガトンの二酸化炭素しか排出できない。また、永久凍土の融解により、地中で長年眠っていたウィルスが大気中に放出される恐れもある。海面は、この融解だけで一〇センチメートル上昇するだろう。この地域に暮らす数千万の人々に被害がおよぶのは、指摘するまでもない。

アフリカはどうなる

二〇五〇年、このシナリオではアフリカは農産加工業を発展させることができない。アフリカの農民は、貧困から抜け出せず、子供を学校に通わせることもできない。世界人口に占めるアフリカの人口の割合は、今日の一六％から二五％になる。二〇歳未満の女性の妊娠率は、依然として世界で最も高いだろう。

年率四％から五％の経済成長を維持すれば、二〇五〇年のアフリカのＧＤＰは、三・二倍から四・三倍になる。中国と同様、三〇年間にわたって年率八%の経済成長を遂げるのなら、アフリカのGDPは一〇倍にさえなる。そうなれば、アフリカのGDPの世界シェアは三%から一五%になる。

アフリカが発展するための条件は次の通りだ。中産階級が権力を握り、非宗教の民主主義を打ち立てること、すべての人々が利用できる基本的なインフラを整備すること、域内市場を重視する経済を確立すること、汚職を撲滅すること、自然保護と天然資源の無駄遣い削減のために尽力すること、欧米諸国や中国との交易条件を改善すること、大企業による搾取の犠牲にならないことだ。これらすべてに関して、実現の可能性はほとんどない。

さらに、気温の上昇によって沿岸部の国の住環境が悪化する。エジプト、アンゴラ、モザンビーク、マグレブ諸国では、沿岸部の浸食が進行し、水没面積が拡大するリスクが高まる。二〇五〇年ごろ、気候変動によって大量の域内移住者が発生する恐れがある。サハラ砂漠以南のアフリカでは七〇〇〇万人以上（人口の三・五%）、北アフリカでは一三〇〇万人（人口の六%）が、移住を強いられる。気候変動による被害が政治の混迷に拍車をかける。毎年、一〇〇〇万人以上の人々がアフリカ大陸を離れようとするだろう。

ナイジェリアは人口が四億五〇〇〇万人を超え、世界第三位の人口大国になる。ナイジェリアは、気候変動による被害でGDPの三〇%を失わない限り、世界第七位の経済大国になる。

二〇五〇年のコンゴ民主共和国の人口は、二億七八〇〇万人に達するだろう。首都キンシャサの人口は三五〇〇万人になり、世界で最も人口の多い都市の一つになる。

エジプトの人口は一億六〇〇〇万人に達する。エジプトの沿岸部の都市アレクサンドリアは、海面の上昇によって世界地図から消える恐れがある。

二〇五〇年のモロッコでは、都市部の人口は二三六〇万人から三二一〇万人に増加する一方で、農村部の人口は一三〇〇万人から一一五〇万人へと減少する。大規模な措置を打ち出さない限り、モロッコ人一人当たりの利用できる水の量は、二〇二二年の六〇〇立方メートルから三五〇立方メートルに減少する。海面の上昇により、エッサウィラをはじめとするモロッコの沿岸都市は水没する恐れがある。そうなれば、植物相の二二%と鳥類や哺乳類の数種が絶滅するだろう。

南アフリカは、経済では世界第二七位、二酸化炭素の排出量では世界第一四位(アフリカ大陸では第一位)になる。南アフリカの三つの都市(ケープタウン、ポート・エリザベス、ダーバン)は、水没する恐れがある。

湾岸諸国はどうなる

二〇五〇年ごろ、スーダンからイラン、サウジアラビアからイスラエル、パレスチナからトルコ（一国だけでも大国になっている）までの湾岸諸国が何らかのかたちで統合され、巨額の資金力を持つ一大勢力になると予想する者は大勢いる。

三〇年後、気候変動の影響（猛烈な熱波）によって移住を強いられない限り、この地域の人口は、世界の人口の八％に相当する七億二五〇〇万人になるだろう。

この地域が化石燃料の生産に代わる産業を開発できるのなら、この地域のGDPは、現在の二倍から三倍になっているだろう。この地域の土地は、太陽光発電と風力発電の開発に適している。しかしながら、生産するエネルギーを貯蔵および輸送するには、この地域にはない大量のレアアースが必要になる。また、この地域は、天候が許せば観光名所になる可能性もある。

ASEANはどうなる

人口八億人のASEAN（中国とインドを除くアジア一〇ヵ国の組織〔東南アジア諸国連合〕）は、世界第四位の「経済大国」になる可能性がある。また、CIA（ASEANに中国とインドを加えた連合体）は、少なくとも経済面では世界断トツの勢力になる。

インドネシアの場合、人口は三億二〇〇〇万人に達し、GDPは世界第四位になるかもしれない。インドネシアにおいても、海面上昇（二〇五〇年には二五センチメートル上昇）などの気候変動の影響により、GDPは一〇%~三五%減少する恐れがある。とくに、今日の首都ジャカルタの四〇%は水没するかもしれない。そこで、インドネシアは、ボルネオ島に新たな首都を建設中だ。このヌサンタラ(「群島」)と呼ばれる新首都の完成予定は、二〇四五年だという。

フィリピンの人口は一億六〇〇〇万人を超すだろう。フィリピンは、アジア第四位の経済大国(世界第一九位)になるだろう。海面の上昇により、フィリピンの沿岸部(住宅密集地)も水没する恐れがあり、ベトナムにおいても、「米蔵」であるメコンデルタのコメの収穫量が減少する見込みだ。

日本はどうなる

日本は、将来的に核保有国になるはずだ。二〇五〇年の人口は一億四〇〇〇万人くらいになる(二〇二二年はおよそ一億二三〇〇万人)。六五歳以上の割合は人口の三七・五%、八〇歳以上は一五・七%、三〇歳未満はわずか二三・二%だ。現役世代の人口は、およそ三分の一に減る。

人口の高齢化にともない貯蓄残高が減少するため、投資能力も低下する。外国からの直接投資額は、すでに対GDP比で一%弱になっている。このままでは、二〇五〇年の公的債務残高は対GDP比で三二〇%以上になる。よって、日本のGDPの成長率は低迷し、一人当たりのGDP

は、世界第二六位まで下落するだろう。

海面の上昇、沿岸部の浸食、台風の傾向の変化により、少なくとも四〇〇万人が水害の犠牲になる。世界第六位の温室効果ガスの排出国である日本が二〇五〇年までにカーボンニュートラルを達成したとしても、気候変動の影響を蒙ることは間違いない。

韓国はどうなる

韓国の一人当たりの生活水準は、北朝鮮と統一することがなければ、世界第一位だろう（統一の場合、新生韓国は第八位になる）。

パキスタンとバングラデシュはどうなる

パキスタンとバングラデシュの領土の三分の一は居住不能になり、両国とも国内にそれぞれ二〇〇〇万人の気候変動難民を抱えるだろう。

オーストラリアはどうなる

現状の傾向が続くと、オーストラリアは、一人当たりのGDPで世界第一四位、GDPで一七位くらいになる。人口は三六〇〇万人に達するが、国土が広大であるため、ほとんど人の住んでいない地域がまだたくさん残っている。

オーストラリアは、中国、インドネシア、アメリカにとり、戦略的にきわめて重要な国だ。石炭や鉄鉱石をはじめとする一次産品の主要な生産国の一つであり続ける一方で、クリーン水素で、世界トップクラスの生産国になるかもしれない。

寒い時期がなくなり、年間を通じて気温が四〇度を超す可能性がある。そうなれば、小麦の生産量は半減するだろう。それどころか、居住不能になる恐れさえある。

ラテンアメリカはどうなる

二〇五〇年のラテンアメリカの人口は、七億五〇〇〇万人を突破するだろう。一五歳から一九歳の女子の妊娠率は、アフリカのサブサハラ以南地域に次いで世界で二番目に高い状態が続く。

アジアやアフリカとは異なり、ラテンアメリカの大都市がこれ以上発展することはないだろう。メキシコシティは発展のピークを迎える。チリの首都サンティアゴの人口は飽和状態になる。拡大し続けるのは、ブラジルの都市マナウスやパナマシティなどの比較的新しい都市だけだろう。

ブラジルの人口はおよそ二億二〇〇〇万人に達して、飽和状態になる。

メキシコの人口は、およそ一億四五〇〇万人になる。メキシコは麻薬密売組織に乗っ取られることがなければ、一人当たりのGDPで世界ランキング一〇位以内に入るかもしれない。

世界最大の太陽エネルギー計画を持つチリは、世界トップクラスの環境先進国になるかもしれない。

アルゼンチンは、人口が五二〇〇万人、GDPが世界第一八位になるかもしれない。

ラテンアメリカのいくつかの国は、麻薬密売組織に乗っ取られる恐れがある。


これらの新興国では、女性の社会的な地位は男性よりも低く、この傾向は将来的にさらに悪化する恐れもある。

結論として、一つめのシナリオと同様、この二つめのシナリオが完結することはないだろう。すでに述べたように、「心臓」になることのできる国は存在せず、「周縁」は誰の指示にも従わなくなるからだ。

二〇五〇年になる前に、商秩序は生き残りを懸けて「心臓」のない「形態」をつくり出そうとするに違いない。

第三の袋小路——「心臓」のない一〇番目の「形態」

今から三〇年後、権力を握る「心臓」が存在しないとすると、どのような世界になっているのだろうか。

歴史を振り返ると、これと似たような状況は過去にもあった。それは西ローマ帝国崩壊後の帝国秩序の末期に相当する、五世紀初頭のヨーロッパの状況だ。ヨーロッパの帝国秩序はその後、中核になる帝国のない状態で、さらに六〇〇年間も存続した。一部の歴史家の主張とは異なり、その六〇〇年間は混乱した野蛮な時期ではなかった。あの時代を生きた人々の生活慣習と統治形式は、ローマを模倣していた。

ヨーロッパでは、帝国秩序が中心を持たずに六〇〇年間存続した後、商秩序へと移行した。商秩序の場合も「心臓」が交代するたびに、しばらくの間「心臓」なしの状態があった。

今後の三〇年間は、「心臓」なしの商秩序という状態になるのではないか。第九の「形態」が消失しても、世界中のほとんどの人々は、映画、テレビ、SNSで今日目にする西側諸国の人々(より具体的にはカリフォルニア社会)の価値観、欲望、ニーズを模倣するだろう。彼らは、夫婦や家族の概念、服装、消費と所有に対する渇望、競争心、個人主義、エゴイズム、不誠実さまで真似るに違いない。ローマ帝国が滅亡後に勝利したように、西側諸国は衰退と同時に勝利するのだ。


さらに、商という「形態」は「心臓」なしで長期的に機能すること、そして資本主義には世界を統制するための帝国的な国がもう必要でないことが判明するだろう(すでに判明している)。ほとんどの商品が実際に海上輸送をされるとしても、支配的な港は存在しなくなるだろう。政治、金融、産業、科学、テクノロジー、文化、イデオロギーのおもな手段を、一つの都市あるいは一つの地域に集中させる必要はなくなる。企業は、所在地をつくる必要もなくなる。新たなテクノロジーを駆使することにより、より多くのデータ、価格、財を、分散的かつ物理的な拠点なしに管理できるようになる。よって、新たな「心臓」を生み出す意味がなくなる。

この混沌としたきわめて多様な世界では、世界的な問題を自国の有利になるように単独で解決できる国は存在しない。圧倒的な勢力を持つ帝国の時代から、どの国も何の権力も持たない状態へと移行する。すなわち、G7、G20、G2の後は、G0になる。

私はこの状態を「《心臓》なき《形態》」と呼ぶ。なぜなら、富と権力を蓄積する場がなくなるだけでなく、商秩序の価値観（とくに、個人主義とその帰結である不誠実さ）がこれまで以上に支配的になるからだ。その結果、法の支配のないグローバルな市場が暴走し、寡頭支配が横行し、自然環境や将来世代に対する無関心が蔓延する。それまでの「形態」と同様、この状態の経済成長の源泉は、新たなテクノロジーを利用して治安、医療、教育などのサービスを人工化することだ。


今後しばらくの間、国家は、引き続き自国の防衛と法の支配を確約し、他国との地政学的な駆け引きに興じるだろう。企業はまだ、国家の指示に従うはずだ。独裁国家と、非自由主義的な民主主義国家の時代が訪れる。国家対市場の対立は国家の勝利に終わると予想する者が大勢現れる。

アメリカをはじめとする国々は、「《心臓》なき《形態》」という概念を一掃しようとして、「わが国こそ、このノマド化した世界の支配者だ」と宣言するに違いない。今日、アメリカの一部の思想家は、アメリカの法律は世界中で適用可能という考えに基づいて、アメリカを「デジタル国家」と称し、ヴァーチャルであってもアメリカ人になりたい人々を集めている。

たとえ強靭な国家であっても、国内の紛争に巻き込まれ、公的債務によって弱体化し、競争によって行動を制約され、気候変動の深刻な影響を受け、治安を公共サービスによって確約できなくなり、歳出を減らして減税せざるをえなくなる。

まず、医療費と教育費が削減され、これらのサービスが民営化される。次に、治安維持も、少なくとも部分的に民営化されるだろう。市場に敗れた国家の仕事は、政治的に必要で財政的に可能な範囲で、弱者保護のための予算を確保するだけになる。

指導者たちは、法律の代わりに契約、正義の代わりに仲裁、警察の代わりに傭兵会社を重宝するが、自分たちが気づかないうちに、これらに牛耳られる。民兵や民間統治組織が民営化される社会の秩序を厳重に監視しない限り、指導者たちの安全は保障されない。

警察はこれまで以上に予防的になり、犯行におよぶ可能性があるというだけで人々を逮捕するようになる。司法は、人工知能によってほぼ自動化されるだろう。弁護士の仕事は、被害者や被疑者を援助することではなく、予防的なものになる。

すでに多くの地域で散見できる社会制度の機能不全が、世界中に広がる。市場がグローバル化する一方で、政治はローカル化する。

教育、医療、治安など、今日では公共部門に属するサービスが儲けの対象になる。これらのサービスは次第に民営化され、世界的な営利サービスが提供されるようになる。そしてこれらのサービスを代替する人工物が生産される。

私が「自己監視」と呼ぶこれらの人工物により、誰もが自分の健康状態、精神状態、教育レベル、環境のパラメータを常時把握できるようになる。医療、教育、メディアなどの職業は、人工知能によって刷新される。
企業は無国籍になる。銀行、投資ファンド、データ管理会社、保険会社が各国の議会に代わり、富の分配のあり方と、個人および集団の行動に関する規範を決定する。企業は収益性だけに従って、技術進歩の方向性を決定する。

新たな分野において、資本、労働、自然との間での付加価値の分配割合を決定するのは、超大企業になる。

労働報酬の相対的な低下は続き、生産性の低い職業の賃金は切り下げられる。細かい作業を強いる非人間的な仕事が増える。

公共財と私有財が激しく競い合う時期が過ぎると、今日の世界規模のビデオゲームやSNSのように、世界的な私立病院や私立学校が登場する。

市場の圧力が強まり、意思決定が（民主的かどうかは関係なく）集団によって行われなくなると、未来のテクノロジーは、あらゆる分野において財とサービスを人工化する手段として用いられるようになり、集団向けの財とサービスは葬り去られる。

ほとんどのモノおよび不動産を所有する必要はなくなり、借りるだけで事足りるようになる。親密な時間であっても、必ず商売が入り込んでくる。

転職を絶えず強いられる。終身雇用はもちろん一時雇用も減り、誰もが自営業者のように働くようになる。複数の職業を同時にこなし、テクノロジーの発展に取り残されないために常時学習しなければならない。

仕事と同様、学校と家族も、従来型の外に閉じた形式から「出入り自由」型になる。

中央銀行ではなく企業が管理するデジタル通貨が登場し（すでに存在する）、国の通貨と競合する。グローバルに流通し、国境に縛られることのないこれらの新たな通貨は、グローバル化された市場のニーズに対応し、最終的には一つの通貨になる。この民間発行の単一世界通貨は、ブロックチェーンによって保証される。

個人主義が猛威を振るうため、誰もがお仕着せのアイデンティティを拒否し、自分自身で自己のアイデンティティを定義するようになる。誰もが己の帰属するカテゴリーや性別とは関係のない自己の特異性を主張したがる。そして、帰属意識に最もこだわるのが、自己の特異性を熱心に訴える者たちだ。このような理屈を語る者たちは、男女という分類に意味はなく、性別の数は無限にあり、誰もが己の性別を自分の思うように定義できると説く。究極的には、誰もが自分だけがメンバーのカテゴリーに属したいと願う。

多くの地域では、結婚や離婚がなくなり、少子化が進行する。衣服の男女別はなくなる。たとえば、インドの影響力の強まりと地球温暖化の影響から、インドの伝統民族衣装が世界的に流行する。

国際社会が商秩序の単一万能「形態」になると、世界はきわめて不安定になり、主体なきプロセスの集合体になる。究極の実権を握るのは、予測機械〔コンピュータ〕だ。付加価値の分配では、資本の割合は上昇し続け、労働と自然環境の割合は減少し続ける。

この「《心臓》なき《形態》」では、人間はおもに三つのカテゴリーに分類される。

「ハイパーノマド」(数億人)は、富と付加価値の増加分を管理する。彼らは、必ずしも一つの場所に集まっているわけではないが、ヴァーチャルな「心臓」を形成する。高性能コンピュータを利用して無数の接続機器から送られてくるデータを分析し、社会、自然環境、経済、政治の変化を、高精度かつ高速に予測する。彼らは、きわめて複雑な分析手法(今日ではモデルやデータが不足しているために理論的にも構築不可能)を用いて、犯罪者の行動や政治動向なども予測する。ハイパーノマドの一部は、付加価値の分配割合を決め、そのほとんどを自分たちのものにする。彼らは、慈愛に満ちた利他主義者の仮面を被る、最も不誠実な輩だ。

ハイパーノマドの対極にあるのが「下層ノマド」(四〇億人以上)だ。彼らの大半は、女性と子供であり、教育を受ける機会を得られずに悲惨な暮らしを送る。彼らは、生き残りを賭けて国境を行き来し、反乱と革命の機会をうかがう。

その中間には、「定住型の中産階級」(およそ四〇億人)がいる。彼らの収入や社会的地位は、さらにプロレタリア化する。彼らは、下層ノマドへの転落を恐れ、現在の定住型の生活様式を維持しようともがく。彼らのうち野心的な者は、ハイパーノマドにのしあがる。彼らは、再分配機能の強化と治安の改善を要求し、富裕層と貧困層を同時に非難する。彼らは、自分たちの相対的な特権を保証するのは全体主義だと考え、全体主義になびく。

ハイパーノマドだけが支配する世界的な機関が登場し、これらの機関が民主的な議論を経ずに、多くの分野で規範を課す。

以上が、一〇番目の「形態」のもう一つの袋小路に陥るシナリオだ。

一〇番目の「心臓」でも「《心臓》なき《形態》」でもなく

これまで述べた通り、「《心臓》なき《形態》」は、一〇番目の「心臓」よりも実現性が低いだろう。

実際に、数多くの障害によって、そうした世界の推移は不可能になるはずだ。なぜなら、多くの人々は、世界の人工化の進行、著しい不正義、公共サービスの消滅、不誠実さ、中産階級のプロレタリア化、社会層に応じた居住地区の分割を許容しないだろうからだ。

国境の閉鎖、外国人の追放、そして、文化、宗教、言語、性別、差異の「浄化」など、執拗なポピュリズムが増殖する。あらゆる形態の人種差別と過激主義が横行する。

賢者は、長年にわたって避けられてきた疑問を投げかける（すでに投げかけている）。すなわち、われわれはどうすれば致命的な道筋から抜け出せるのか。世界の人口が一〇億人だったときでさえうまくできなかったのに、教育、医療、住宅などに関して、尊厳に満ちた自由な暮らしを一〇〇億人の人々に確約するには、どうすればよいのか。人類はどうすれば、環境を保全しながら経済成長を追い求めることができるのだろうか。どうすれば、自然環境が毀損されていることを、全員にわかってもらえるのだろうか。人類は、三〇〇万年前に旅立った道のりの最終地点に行き着いたのだろうか。人類は限界に達し、自殺するのだろうか。自殺を避けるために、人類の欲求と環境保全を両立させる新たな「形態」を生み出すことができるのだろうか。商秩序、つまり稀少性という制約から抜け出すきっかけを見出すことができるのだろうか。

これらの疑問に答えを見出せず、何の行動も起こせないのなら、人類は自殺への道を歩むことになる。

第六章

二〇五〇年ごろ

――三つの致命的な脅威

読者は、大げさだと思うかもしれない。しかしながら、今後の三〇年間、無策と先送りに終始するのなら、人類は新たな「心臓」をつくり出すことができずに、「《心臓》なき《形態》」へと迷い込む。そこでは、自分たち自身が生み出す三つの脅威が具体化し、人類は身を守る術を見出すこともなく一掃されるだろう。

これらの脅威は、第五章で掲げた三つの袋小路のシナリオに含まれているものばかりであり、人類がどの道筋を選ぼうとも顕在化する。

第一の脅威——気候

すでに述べたように早急に大型の対策を打ち出さなければ、気候変動によって、人類は地球のほとんどの地域で生活できなくなる。

二〇五〇年までの平均気温の上昇幅を一・五度〔摂氏〕以内に抑えるという目標達成は絶望的だ。現在の傾向が続くと、先ほど述べたシナリオの一つで紹介したように、大気中の二酸化炭素濃度は、現在の四一五ｐｐｍから二〇五〇年には七五〇ｐｐｍを超えるだろう。その場合、地球の表面温度は四度以上も上昇する。

もしそうなると、一〇年ごとの熱波の発生頻度は、一九〇〇年ごろの一回から六回に増え、降水量は一〇年ごとに倍増するだろう。二〇三〇年には、年間五五〇件以上の災害が発生し、二〇五〇年には、年間一億五〇〇〇万人以上の犠牲者が出る恐れがある。地球の半分以上の地域では呼吸困難になる。洪水や熱波により、橋、道路、ダムなどが壊れ、孤立する地域が現れる。

気候変動の影響を受ける国は、現在のＧＤＰを維持することさえ難しくなる。それらの国の経済成長率は、先ほど紹介した三つのシナリオの数値をはるかに下回り、国民の生活水準は急落するだろう。

まず、アフリカ、南アジア、南ヨーロッパ、アメリカのほとんどの地域で、気候変動の影響が顕在化するだろう。南ヨーロッパは恒常的な干ばつに見舞われる。アメリカでは、森林火災の発生頻度が六倍に増える。極地、アルプス、アンデス、ヒマラヤなどでは、ほとんどの氷河が消える。水温の上昇した河川の水が海に流れ込み、海の温度が上昇して、海流に影響が生じる。

海面の上昇幅は、太平洋で二〇センチメートル、大西洋で三五センチメートル、ベンガル湾で四五センチメートルだ。この予測が的中すると、オランダ、パキスタン、バングラデシュ、シリコンバレーは、水没する。そして、ヴェネツィア、マイアミ、ニューオーリンズ、ドバイ、深圳、上海、北京、ジャカルタ、ホーチミン、アレクサンドリア、バスラ〔イラク〕、赤道地帯のほとんどの湾岸都市の大部分も、水没を免れない。

さらには、気温上昇が原因の森林火災の多発により、北極圏では、一一〇ギガトンの二酸化炭素が大気中に排出され、アマゾン地方では、森林消失が加速する（二酸化炭素の吸収能力が九〇ギガトン減る）。

さらに悪いことには、このままでは、二〇三〇年にはサンゴ礁（海洋生物の二五％の生息地であり、五億人の食糧を生み出している）の九〇％は死滅する。沿岸部からの保護壁の役割を果たしているサンゴ礁がなくなると、海の化学バランスの変調が加速し、地球上の生命全体に影響がおよぶことも懸念される。

地球温暖化の進行は不可逆的になり、累積効果が始動する。気温上昇により、シベリアの森林は破壊され、永久凍土に含まれていたメタンが大気中に放出される。地球上には、温室効果ガスを吸収するのに必要な植林スペースは、もう存在しないだろう。このままでは完全に手遅れになる。

第二の脅威――超紛争

カリフォルニアの「心臓」が消滅する時期、中国がカリフォルニアに代わって「心臓」になることに失敗する時期、市場が国家に勝利する時期、気候変動の影響が耐え難くなる時期などよりもずっと以前に、水資源、食糧、一次産品、富の公正な分配、領土の拡大、分離独立、世界からの孤立、世界の征服、信仰の押し付け、異なる信仰との対立、価値観の確立、外国人あるいは自国人の追放をめぐる戦いが起こる。

気候変動、そして世界各地での教育制度をはじめとする社会制度の崩壊（とくにアフリカと中東）により、上位中産階級を除き、非識字率が上昇する。その結果、多くの国では、宗教が権力を握る。女子だけでなく男子も、宗教教育しか受けられなくなる。彼らは、洗脳された後に戦士にさせられ、異教徒を抹殺し、信仰心のない者たちが暮らす土地を武力で征服しようとする。

多くの地域では、民間、国、国際機関の民兵による軍事独裁政権が、悪党や世界の濁流から地域住民を保護するという口実で、地域の富の支配権を握る。いつものように、こうした蛮行のおもな犠牲者は、女性と子供だ。

「心臓」の地位をめぐる争いによって、既存の紛争が激化する恐れがある。たとえば、ロシアとウクライナ、アフリカの角(つの)〔アフリカ大陸東端の半島〕、湾岸諸国などで進行中の紛争だ。これらの他にも、ロシアとヨーロッパ、北朝鮮と韓国、日本と北朝鮮、中国と台湾（今日、世界のコンテナ船の半数は、両国を隔てる海峡を通過している）、中国と日本、ロシアと日本、インドとパキスタン、インドと中国、イスラエルとその近隣諸国（イランとパレスチナなど）、トルコ・イラク・シリアの間、アルジェリアとその近隣諸国、北アフリカとサブサハラ以南など、現在は小康状態にある紛争も激化することが予想される。とくに、コンゴ民主共和国とスーダンなどにおいて進行中の数多くの紛争は、さらに残虐で大規模な戦いに発展する恐れがある。またしても、これらの紛争で真っ先に犠牲になるのは、女性と子供だ。

北極圏では氷帽(ひょうぼう)の縮小により、将来の海路とこの地域の地下資源をめぐって近隣諸国の間で争いが起こるだろう。

ＥＵが崩壊すれば、フランスとドイツの間で最悪の事態が再燃するかもしれない。

これらのほとんどの紛争には、アメリカ、中国、ロシア、ＥＵが関与することになる。しかしながら、民主主義国同士が戦火を交える可能性は、依然として低い。

監視、抑止、破壊、サイバー攻撃などに関する新たな武器を入手するのは国家だけではなく、これらの武器は、民兵、海賊、テロリスト、マフィア、麻薬カルテル、宗教原理主義者の間にも出回る。超小型のドローン、各種ロボット、生物兵器、そしてデジタル技術、遺伝学、バイオミメティクス、ナノテクノロジーに基づく合成ウィルスが登場する。

警察官と同様、身体能力を増強した「拡張兵士」は、ほとんどの武器、そして極寒や酷暑から身を守ることができ、偵察および殺人ドローンの群れを従えて戦地に出向く。

今日の大陸間弾道ミサイルの五万倍の速度で、命中精度もきわめて高いレーザー砲が開発される。

干ばつ、降雨、嵐、疫病を人為的に引き起こすことができるようになる。

世界中でサイバー戦争が起こる。軍隊、病院、司令塔を機能不全に陥れることに関して、ネットワークと人工知能を対象にするサイバー攻撃は、従来型の爆撃よりも効果を発揮する。

人工知能は、人間なら躊躇するような過激な決断をくだす。その結果、人工知能を利用する側が、人工知能に脅かされることさえある。人工知能が特定の人間集団、あるいは人類全体に戦争を仕掛けることさえ考えられる。

フェイクニュースにより、憎悪がかき立てられ、スケープゴートが名指しされ、紛争が勃発する。

全体主義の国家から大勢の人々が逃げ出し、民主主義国へとなだれ込む。

前章で述べたように、多くの国境が変動するだろう。ロシアは三つに分断され、一つめはヨーロッパ、二つめの極東部分は中国、三つめはトルコに併合される。ちなみに、トルコは中央アジアの大国になるかもしれない。シリアとイラクは分裂する。マリ、ナイジェリア、コンゴ民主共和国などのアフリカ諸国は解体される。

そして、誰も反対することができないまま、多くの国が核兵器を保有することになる。北朝鮮の核保有を容認すれば、国際社会は、北朝鮮の近隣諸国である韓国、日本、オーストラリアの核保有を阻止できなくなる。ブラジルも、核保有に意欲を見せるだろう。イランも、まもなく核開発に必要なすべての段階を終える。そうなれば、サウジアラビアも核兵器を保有しようとするに違いない。ナイジェリアも、核保有に意欲を示すだろう。核保有国が増えれば増えるほど、当然ながら核兵器が利用されるリスクは高まる。

第三の脅威——人工化

これまでに述べたように、歴史の転換点ごとに新たな人工物が開発され、人間はさらなる手段を得てきた。われわれは、自然、動物、植物、そして人間自身が人工化される段階まで辿り着いた。もし、人間が人工化されるのなら、人類は、人工物を製造する人工物の集合体になるだろう。

すでに述べたように、このような人工化は（世界が一〇番目の「形態」に向かうにせよ「心臓」なき「形態」に向かうにせよ）、当初は他愛のない形で現れる。つまり、経済の生産性を高め、サービスのコストを削減するためだ。だがその後、きわめて侵襲的になる。

健康管理の人工化

まずは、診断、予防、治療、痛みの緩和を可能にする技術が広まる。「自己監視」によって、誰もが自身の健康を、さらに多くの側面から常時監視できるようになる。人工知能を用いる遠隔医療が可能になり、誰もがどこでも待たされることなく診断および治療を受けられるようになる。

遺伝子操作は、急速な発展を遂げる。各人のゲノム情報を読み解くことによって、その人の健康リスクを正確に予測し、個別の予防策を講じることが可能になる。RNA(リボ核酸)を利用するワクチンや心疾患などの慢性疾患の治療法が開発される。そうなれば、医療組織全体に激震が走るだろう。だが、この激震に対する備えはできていない。

老化の生物学的な解明が進み、行動規範の遵守を課すことによって、老化を止めることはできなくても、遅らせることは可能になる。

遺伝性疾患のリスクをなくすという名目で、生殖細胞の遺伝的改変が始まる。移植手術のための臓器を確保するという名目で、遺伝的に新たな哺乳類が開発される。

究極的には、神経ネットワークに関する新たな知見を利用して、脳の人工化が試みられる。当初の目的は、アルツハイマー型認知症などの神経変性疾患の治療だが、次第に人間に近い脳をロボットに搭載し、さらには、従順な人間を製造することになる。

このようにして人類はハイブリッド型のキマイラ〔ライオンの頭、ヤギの胴、蛇の尾を持ち、口から火を吐くギリシア神話の怪獣〕への道筋を歩むことにもなる。

クローン人間の製造も視野に入る。自分の意識をクローン人間に植え付けることも、可能になるだろう。欲望、少なくとも悪事に対する欲望のない人間の製造が試みられる。それとも逆に、無慈悲な殺人鬼がつくり出されるのかもしれない。

教育の人工化

財源不足と人口の増加のため、質の高い教育を受けることができるのはハイパーノマドと上位中流階級の子供たちだけという傾向が、今日よりも強まる。定住民とノマドを含む人類全体の三分の二は、実際の学校に通うことができず、オンライン授業（文化、言語、年齢に関係のない国際的なカリキュラムを採用）を受ける、あるいは宗教原理主義者の餌食になる。宗教原理主義者は、独自の方法で大勢の人々を教育し、彼らを支配する。またしても、こうした事態に対する準備は、まったくできていない。

その後、記憶力を高めるために脳に人工物を埋め込む時代が訪れる。平常心、集中力、知的能力を向上させるという口実のもと、他者の精神状態を読み取ることによって、相手の思考に入り込む。このとき、思考を伝達することによって、脳が操作される。脳の計算能力を高めて自意識を把握するという口実のもと、脳のデジタル・コピー版が開発される。こうして、脳と人工物のハイブリッド型知性の時代が訪れる。人間の介入なしに自律的に意思決定をする人工知能を搭載する人工物の用途は、さらに拡大する。このような事態を事前に予見し、対策を講じておかないと、これらの人工物が製造者である人類に反旗を翻すことも考えられる。

情報の人工化

ジャーナリズムの新たな形態が誕生する。紙の新聞、テレビ、ラジオ、書籍は減り続ける一方、ポッドキャスト、プラットフォーム、ビデオゲーム、ヴァーチャル世界、ホログラム、クローンは、増え続ける。簡単な指示によって情報を生み出したり、大量のデータを自動的に解析してあらゆる分野の予測を常時提供したりできるようになる。

チャットGPTのバージョンが25になるころには、作家、ジャーナリスト、哲学者には、大した仕事が残されていないだろう。

現実の出来事と見間違うような興行が増える。個人の興味に沿うため、さまざまな興行が催される。メディアは、これらの興行への大衆の依存度を高める環境をつくり出す。こうした観点から、映画は、ライブの興行、芸術、スポーツイベントよりも脅威にさらされる。

人間関係の人工化

人間関係にヴァーチャルなものが入り込んだのは、郵便によって長距離コミュニケーションが始まったときからだ。今日、ヴァーチャルなコミュニケーションにより、あらゆる人間関係が可能になった。たとえば、一人あるいは複数の同僚と遠隔で仕事をする、一人または複数の友人、一人あるいは複数の性的パートナー、一人あるいは複数のある程度長続きする愛人を遠隔に持つことなどだ。

ホログラムを使うようになると、人間関係のこうした選択はさらに極端になる。ホログラム自身が、人間の仕事、友情、恋愛、政治に関与するようになる。ホログラムというヴァーチャルな存在は、独自の人格、情熱、愛、気まぐれ、倒錯を持つ。ホログラムは人間の会議に出席し、人間に代わって判断をくだす。ロボットが人間を雇うようになる（すでにそうなっている）。

権力の人工化

いつの時代も、服従（しばしば隷属という喜び）と引き換えに安全を提供する者が権力を握る。これまでに紹介した人工化は、権力の人工化のための準備だ。安全に関するあらゆる種類の保障は、コスト削減のために自動化される。予防、すなわち予測と権力者の定める規範に準じた要求の基準は、大幅に引き上げられる。すでに語ったように、私が「自己監視」と呼ぶ新たなツールにより、病気、能力低下、違法行為などは、予測可能になり、誰もが権力者の課す規範の遵守を、測定、予測、管理できるようになる。こうして全員が、行政官、医師、教師、警察官の助手のような存在になる。「自己監視」ツールにより、個人の砂糖摂取許容量や、排出可能な二酸化炭素量まで管理可能になる。

情報開示が義務になり、身元、履歴、健康状態、学歴、職歴を隠そうとする者は、先験的に疑わしい人物と見なされる。実際に犯罪を実行する前であっても、危険人物として扱われる。

権力のおもな特性は予測することであるため、世界を支配するのは予測マシーンになる。人間が遵守しなければならない規範を定めるのは、予測マシーンだ。聖職者に代わって兵士、兵士に代わって商人となったように、商人に代わってマシーンが権力を握る。マシーンは人類を支配するだけでなく、消滅させることさえできる。

これらの人工化が進行すると、二つの甚大な影響が生じる。その素地はすでにできている。

現実とヴァーチャルの融合

量子コンピュータの開発により、現実とヴァーチャルの融合は今日よりもはるかに早くできるようになり、両者を区別することは、ますます困難になる。ホログラムやメタバースの現実味は、さらに増す。次に、触覚や嗅覚をヴァーチャル化することにより、拡張現実から本物にきわめて近い現実へと移行する。認知症などの神経変性疾患のために開発された脳に埋め込む人工物は、人々の脳に偽の記憶を植え付けるために利用される。最終的には、現実は、ヴァーチャルと人工物の誘惑、威力、信頼性と比べ、偽物と見なされるようになる。

生物と人工物の融合

生物そのものが徐々に人工化される。まず、機械式のロボットが飛躍的に進歩し、人間の行動を身体的にも心理的にも模倣するようになる。そして義肢(ぎし)によって、機械的にもデジタル的にも拡張された人間から、人工物の埋め込みによって、遺伝的に拡張された人間になる。チップの埋め込みと生物学的な修正との区別が曖昧になる。人間が女性の体外で製造されるようになると、男女の区分が不明瞭になり、無数の亜種が登場する。

ペット、家族、歴史上の人物は、それらに関する情報を基に、まずはホログラム、次に遺伝子操作によって蘇る。

一九七五年のアシロマ会議や一九九七年のオビエド条約によって生殖細胞の遺伝的改変が禁止されているのにもかかわらず、誰でも自己修復ができるようになり、自分のコピーをつくる。最後は自己をクローン化し、クローンと自分自身の判別がつかなくなる。

二〇五〇年の時点では、人間の知性メカニズムの理解および模倣、不老不死、人間の意識の人工的な再現、自意識のクローンへの移植はまだ不可能でも、人間の外観を持つ生身の超人は出現しているだろう。あるいは、労働者、使用人、奴隷として使用可能な産業オブジェは市販されているだろう。いずれにせよ、人類は、人工物の奴隷になっているかもしれない。

こうした生命の人工化は、不条理なディストピアではない。本書では、作用する力が目的を成し遂げるという仮定で未来像を描いている。これまで紹介したように、これは二万年前に始まったサービスの人工化の歴史の一部であり、性欲と生殖を分離する膣外射精などによって受胎の仕組みが判明して以来始まった生命そのものの人工化に向けた長い進化の過程の一部だ。すなわち、煎じ薬、中絶、コンドーム、ピル、体外受精、生殖補助医療、代理母出産、ゲノム編集技術、メッセンジャーRNAと体細胞の改変、未熟児の保育技術、人工子宮などだ。

次に、遺伝性疾患の遺伝を避ける、あるいは生まれてくる子供の身体的な特徴を選択するという口実のもと、ヒト胚の遺伝情報の改変が行われる。さらに、子供は自然な生殖過程を一切経ずに母体外で誕生するようになる。そうなれば、人間は単なる人工物にすぎなくなる。こうした状況は、単なる妄想ではない。

人類が気候変動という自殺行為や戦争による絶滅を逃れるとしても、誰もが不老不死になろうとしている間に、人類という生物種は消滅する。

これらすべては、夢物語ではない。人類史には、無意識だったにせよ、自殺行為におよんだ民族や文明の例がたくさんある。オデュッセウスの立案した木馬をトロイの城内に運び込ませたトロイア人の判断、ナチズム、イースター島の森林伐採、マヤ人の耕作地の破壊など、間違い、先延ばし、無知、指導者やイデオロギーへの陶酔により、これまで数多くの強靱で傲慢な文明が、自分たちに悪影響をおよぼす恐れのある事象を無視した結果、消滅してきた。

今回、危機にあるのは、太平洋の孤島でも、小アジアの沿岸部にある忘れ去られた町でもなく、人類全体だ。人類は、無分別と先延ばしによって絶滅するかもしれないのだ。

一九四二年二月に民主主義の勝利を確信できなかったために自殺したシュテファン・ツヴァイクや、将来の課題に立ち向かうよりも自殺を選択する今日のアメリカやヨーロッパの若者のように、紹介したこれら三つの脅威は、人類を自殺に追い込む恐れがある。

しかしながら、最悪の事態に見舞われると決まったのではない。方針を抜本的に転換するのなら、人類全員にとって明るい未来が訪れる。

第七章
急旋回

もし、前方に大きな危険が待ち受けているという確かな情報を得たら、船長はそれでも船を前進させ続けるだろうか。タイタニック号の傲慢な船長エドワード・スミスや、怨念に取りつかれた小説『白鯨』に登場する捕鯨船ピークォド号の船長エイハブのように、得た情報を無視するだろうか。それとも、乗組員に航路の変更を告げ、別の港を目指すだろうか。

人類にも、同様のことが当てはまる。もし、人類が無限の物質的な豊かさの追求に執着し続けるのなら、人類は、ハーマン・メルヴィルの小説『白鯨』の主人公と同じ運命を辿るだろう。自身の依存症が己を破滅に導いていると知りながらも、そこから抜け出せない人々は大勢いる。残念ながら、こうした悲惨な運命は珍しくない。なぜなら、無頓着、軽率、先延ばしは、分析、見通し、決断、努力、一致団結よりも、しばらくの間は快適だからだ。

読者はこれまでの章を読み、商秩序は化石燃料の使用量を増やすことによって物質的な豊かさを追求していることを理解し、こうした暴走は直ちにやめるべきだと納得したはずだ。同様に、富と資産を非物質化してこれらを公正に分配すること、そして最も貴重な財である生きとし生けるものを保護することは、人類の責務だと了解したと思う。

それは、インフレを抑制するために金利を調整するというような問題ではない。投資ファンドがさらなる利益を貪る、平穏な社会の確約、あるいは高速道路や空港の新設のために公的債務を膨張させるというような問題でもない。すべての人に年金を保証する、完全雇用を達成する、労働分配率を改善させるというような問題でもない。さらには、商の「形態」を新たにする、「心臓」の近くに位置しようとする、というような問題でもない。問題は眼前に迫る人類の自殺から逃れることだ。それは今から三〇年後だ。

歴史の流れの方向性は、まだ修正可能だ。急旋回すれば、豊かで幸福感に溢れる公正で民主的な世界を築くことができる。ただし、そのためには今日の最悪の罠である無気力から抜け出す必要がある。また、過去の成功と失敗から教訓を見出し、現在の傾向が続くとどうなるのかを理解し（これが本書のこれまでの目的）、そこから抜け出すための計画と戦略を練り、万人に役立つ斬新な「世界の取扱説明書」を作成しなければならない。これは、従来の政治とはまったく異なるアプローチだ。

私は、これから述べることが実行困難であること、今日のすべての政党の政策綱領とはまったく異なること、実行に移したとしても、実現の可能性がきわめて低いことを承知している。それでも、これが唯一の脱出口なのだ。

「形態」なき「心臓」——「ポジティブな社会」と「命の経済」

船には、船員、船長、目的地、航路が必要なように、われわれ人類も、計画（未来の物語）ならびに計画を迅速に実行に移すための戦略が必要だ。

乗組員

人類全員であり、広義には生きとし生けるものだ。全員が一丸となって行動しなければ、何事もなすことができない。乗組員各自がベストを尽くすことが、全員の利益になる。誰もが己の役割を持つ。

船長

アメリカや中国などの大国が、世界的な計画を経済力や武力で課すのが最善と考える者もいるだろう。だが、私は、これらの国がそのようなことをできるとは思わない。今後、どこかの国が自国の法律を世界に押し付けることはできないと私が考える理由は、すでに詳述した通りだ。当然ながら、宇宙人が地球に現れて、われわれに法律を押し付けることも期待できない。世界的な計画を実行に移すには、グローバルなネットワークを形成し始めた民間および政府の地球規模の機関が一丸となって一大勢力を生み出し、「世界の取扱説明書」を作成する必要がある。乗組員をやる気にさせる環境をつくり出せる人物がよい船長だ。企業や国の指導者についても同様だ。

計画

エゴイズム、貪欲、短期的利益の追求、不誠実さの蔓延に終止符を打ち、自由に関する現世代と将来世代の渇望が調和する社会の構築に向け、世界規模でなるべく早期に前進する。私は、この計画を「《形態》なき《心臓》」と呼ぶ。これは、私が自殺行為と評した「《心臓》なき《形態》」と対極にある。

そのための戦略は、次に掲げる三つの原則に基づく。

1. 積極的な行動を課す（あるいは、少なくとも奨励する）。

個人、企業、組織、国は、自分たちの行動が将来世代ならびに生きとし生けるものの利益に反していないかを、できる限り事前に確認しなければならない。とくに、自分たちの行動が気候変動を加速させたり、海洋の生化学バランスを乱したりしないかを見極める必要がある。

この原則が個人の自由を制限することはない。なぜなら、現世代にとり、自分たちが老いて世界を機能させる力を失ったときに助けてくれる将来世代のために、地球を暮らしやすい状態にしておくことには利益があるからだ。私は、これを「利他的なエゴイズム」あるいは「合理的な利他主義」と呼ぶ。モンテスキューの『ペルシア人の手紙』の「個人の利益は常に共通の利益の中にある」という有名な一節〔手紙12〕は、この精神を物語る。これを実践することにより、見返りを期待せずに、世の中の役に立つことに大きな喜びを見出す者も現れるだろう。

この原則を社会制度に組み込む国は、「ポジティブな社会」をつくり出すことができる。国は、将来世代や自然の利益にならないと思われる法律、規則、行動を、違憲とすることによって「合理的な利他主義」を奨励する。その際、自分たちの子供や祖国だけでなく、人類全体の利益を考慮する必要がある。

2.「死の経済」に属するすべての製品を排除する。

私は、民間か政府かに関係なく、将来世代と自然を毀損する生産活動を「死の経済」と呼ぶ。

「死の経済」は、先ほど述べた三つの脅威を助長させる。たとえば、化石燃料の生産、それらの燃料を使用するさまざまな活動（乗り物、サービス、インフラ、繊維、化学、家具、農薬、窒素肥料、プラスチック、セメント、ほとんどの観光）、肉製品、人工甘味料、タバコ、薬物などだ。また、アルコール、ビデオゲーム、SNSなど、濫用すると有害な製品の利用も制限すべきだろう。今日、すべての国においてこの「死の経済」が占める割合は、温室効果ガスの排出量では八〇％以上、GDPでは五〇％以上、雇用では四〇％弱だ。今から三〇年後までに、「死の経済」のGDPの割合を二〇％未満にまで減らす必要がある。

3.「命の経済」を発展させる。

私は、将来世代の役に立つ生産活動、とくに温室効果ガスの排出量の少ない生産活動を「命の経済」と呼ぶ。列挙すると、予防、医療、スポーツ、公衆衛生、教育、持続可能な移動手段、健康食品、デジタル、ポジティブなイノベーション、再生可能なエネルギー・インフラ（水素、太陽光、風力）、持続的な交通インフラ（電車、自転車専用レーン、充電スタンド）、水、水と材料のリサイクル、浪費の削減、治安、防衛、文化、民主主義、メディア、思いやり、研究、持続的な金融と保険、エンジニアリング、持続的なインフラ、社会正義などだ。

「命の経済」の部門では、万人に基本的な財を提供する企業（最先端の技術を駆使して、無駄を省き、できる限りリサイクルする）や最先端の技術力を持つ企業などが活動する。

今日、世界的に「命の経済」が占める割合は、ＧＤＰでは五〇％未満、雇用では六〇％強、温室効果ガスの排出量では二〇％だ。二〇五〇年には「命の経済」のＧＤＰの割合を八〇％に引き上げ、「死の経済」の部門で活動する企業を「命の経済」の部門へと移行させる必要がある。


これを実行に移すと、成長と同時に衰退という問題に直面する。というのは、「死の経済」に属する部門の生産を縮小させると同時に、「命の経済」に属する部門の生産を急拡大させることになるからだ。だが、その結果として、各国および世界のＧＤＰが増加するのか減少するのかは問題ではない。なぜなら、ＧＤＰは重要な指標でなくなるからだ。そうはいっても、さまざまな研究によると、「命の経済」部門の経済活動（とくに、再生可能エネルギーに関する新たなインフラ整備）は、急成長する見込みだという。よって、「命の経済」への移行により、ＧＤＰは大幅に増加するに違いない。

「命の経済」への移行により、付加価値の分配割合は、資本家に対しては減る一方、労働と自然に対しては増える。また、経済活動にともなう二酸化炭素排出量は減り、安定的な雇用が創出され、所得格差は縮小する。社会に「命の経済」の財が潤沢に出回るようになると、われわれは商秩序からの脱却を考え始めるようになる。

移行の進捗度を測定するには、あらゆる要素をフローとストックの観点から考慮する新たな監査制度を導入する必要がある。とくに、各部門における、環境、社会、倫理に関する基準の遵守率の測定は重要だろう。

このようなランキングは、各国の生活の質を比較するためにすでに数多く作成されている。たとえば、国連の「人間開発指数」（平均寿命、教育、収入に基づく）、ケンブリッジ大学のランキング（持続的発展の目標に対する成績に基づく）、ＯＥＣＤのランキング（一一の指標に基づく）、イェール大学のランキング（一一の部門に四〇の指標を設定）、ポジティブ・プラネット〔著者が代表を務めるシンクタンク〕のランキング（将来世代の幸福感を重視）などだ。また、国連の人権指標、国内総幸福量（ブータンが開発）、グローバル・ビジネス倫理（従業員に対するアンケート調査から作成）のように的を絞ったランキングもある。

今日、これらのランキングで常に上位を占めるのは、スカンジナビア諸国とニュージーランドだ。ＧＤＰで上位に入る国は、これらのどのランキングにおいても上位一〇位以内には入っていない。

さらに、これらの指標に「命の経済」と「死の経済」の区分を反映させ、よりポジティブになるための国の取り組みを支援する必要がある。たとえば、「命の経済」で活動する企業の数は少ないが経済構造を「命の経済」へと移行させている国は、「命の経済」で活動中の企業の数は多いがさらなる努力をしない国よりも高く評価すべきだ。

われわれは、この戦略を速やかに実行しなければならない。とくに、気候変動という危機は差し迫っている。

だが、前途多難だ。地球温暖化による気温の上昇幅を一・五度〔摂氏〕以内に抑える確率を三分の二にするには、二〇三〇年までに温室効果ガスの排出量を現在よりも四五％削減しなければならない。しかし、これは不可能だ。

二〇五〇年までに気温の上昇幅を二度以内に抑える確率を五分の四にするには、そのときまでに一人当たりの二酸化炭素排出量を一九三〇年の水準にまで減らす必要がある。これは二酸化炭素の排出量を、増加したときよりも二倍のペースで減らすことを意味する。つまり、遅くとも二〇二五年までに排出量の上限を設定して大幅な削減（二〇三〇年までに二七％減）に取り組み、二〇五〇年までにカーボンニュートラルを達成しなければならない。この場合、二〇五〇年の一人当たり年間の二酸化炭素排出量は二トンになる（現在、フランスは五・四トン、アメリカは一七・五トン、中国は八・四トン）。これを実現させる唯一の道筋は、「死の経済」から「命の経済」への急旋回だ。

急旋回のための手段

「死の経済」から「命の経済」、そして「《心臓》なき《形態》」から「《形態》なき《心臓》」という急旋回を実現するには、乗組員と船長は、市場を制御し、民主主義を強化し、両者を長期的な観点から育成しなければならない。そのためには、都市、国、世界全体の公共活動において、次に掲げる三つの手段を利用する必要がある。すなわち、共有財（公共財、移動手段、規制を含む）、価格、テクノロジーだ。

共有財

生産と消費を「命の経済」に導き、時間の使い方を変革し、人間関係の人工化を遅らせるには、共有財の生産が不可欠だ。とくに、公共の教育と医療では、利用者を商業的な消費に向かわせない仕組みが必要だ。警察と司法から、商業的な要素を減らさなければならない。経済活動は、気候変動対策や公正な社会秩序の確立などの共有財の生産に向かうべきだ。

これらを実現するには、厳格な規制を課さなければならないだろう。とくに、規制という特殊な共有財に依存することになる。たとえば、法律によって予防を「ポジティブな社会」への移行に不可欠なツールに変える。このツールを利用すれば、将来世代の利益への考慮を全員に対して等しく要求できるようになる。とくに、社会正義、社会統合、職業訓練、健康診断、住宅やモノの省エネを促進するには、税制全体を見直す必要がある。

過剰漁業の海域と多くの昆虫が生息する森林の保護は急務だ。

都市部での移動手段は今日行われている以上に、自家用車から公共交通機関、自転車、徒歩に切り替える。

二〇五〇年までに、たとえば、果物、野菜、ナッツや豆類の持続可能な生産量を倍増させる一方で、赤肉〔哺乳動物の肉〕と砂糖の消費量を半減させる。また、電力の一〇%を消費し、数多くの稀少な資源を使用するデジタル・インフラのコストを削減する。生き物を保護するという倫理を共通善と定め、人工知能や遺伝工学などのテクノロジーの開発の際に、この共通善を尊重する。

よって、次に掲げることは直ちに禁止だ。新規のガス田や油田の開発、農村部の土壌破壊、人間に危害を加える恐れのある人工知能の開発（アシモフの「ロボット工学三原則」の遵守）、遺伝工学を利用するキマイラの製造、思考を覗き見るために人工物を脳に埋め込むことだ。

また、次に掲げることも直ちに禁止だ。兵器の個人所有、窒素肥料の使用、化石エネルギーの燃料および繊維製品の原材料としての使用（今日の「ファストファッション」）、持続可能でない燃料を利用する自動車の製造と利用、甘い飲料水や赤肉の生産と消費だ。

個人が移動、就労、消費する際の年間さらには一日当たりの二酸化炭素排出量を管理および制限する。

次に掲げることは奨励する。スポーツ、楽器、ダンス、歌、絵画、ビデオ撮影、読書、執筆、舞台芸術、外国語学習、研究、園芸、芸術、会話、ボードゲーム（チェス、囲碁、スクラブルなど）。

同様に、無駄の削減を奨励する。たとえば、リサイクル、再生農業、大豆、豆腐、牛乳、フォニオ〔西アフリカ原産の雑穀〕、モリンガ〔ワサビノキ〕の消費だ（二〇五〇年には、世界の人口の少なくとも三分の一は、個人の選択、あるいは強制的に菜食主義者になるだろう）。

次のことを課す。学校や居住地区における社会層の混合と、本書で述べた課題を網羅する教育カリキュラムの施行だ。

次に掲げる権利を確約する。食事、休息、孤独、会話などのために自由な時間を持つ権利（ならびに、そうした権利を謳歌する手段）、「脳神経に関する権利」（精神的なプライバシーや思考の保護）、自然（例：森林、河川）に対する権利（法人格を認める）などだ。

価格

規制と並び、価格の設定（税制を含む）により、「命の経済」における投資効率を「死の経済」よりも、よくする必要がある。とくに、炭素価格の引き上げと排出枠の縮小により、炭素からの収入を五兆ドルにまで段階的に引き上げる（二〇二三年の税収は、炭素税が二六〇億ドル、排出枠が二三〇億ドルにすぎない）。当然ながら、税収の一部は「命の経済」への移行を支援する補助金として充当する。

テクノロジー

今日および未来のテクノロジーの方向性が市場の利益のみによって決定されるのなら、最悪の事態が訪れるだろう。だが、そうした事態は回避可能だ。「命の経済」を優先して「死の経済」を排除すれば、テクノロジーはポジティブな社会の実現のために役立つはずだ。たとえば、マンマシンインターフェース（人間と機械の間の伝達を行う機器やコンピュータ・プログラム）を利用すれば、面倒で退屈な仕事をできるだけ早くこなすことができ、人間の徒労感を減らすことができる。たとえば、思考の伝達によって機械を操作できるようになる。また、集中力、分析力、学習能力、思考力、決断力、共感力、協調性、利他性などを改善させるイノベーションが開発される。ビデオゲームのスキルは、未来の職業に役立つだろう。人工知能を正しく利用すれば、中産階級はお払い箱になるのではなく、ポジティブな展望を抱くことができる。

工場、都市、国、地球の環境に関するリスクを常時測定するテクノロジーが登場する。

予防に関しては、先ほど述べた量子コンピュータとデジタルツイン（デジタル複製）が診断、予防措置、治療の準備に利用できる。その他のテクノロジー（バイオプリンティング、ゲノム編集、ワクチン）によっても、多くの病気の予防や治癒、あるいは少なくとも慢性化の阻止が可能になる。

電子チップを脳に埋め込めば、脳の病気、神経変性疾患、精神疾患のリスクを評価できるようになる。また、知能ならびに感情を認識する能力の増強も可能になるだろう。

老化生物学においても、飛躍的な発展があるだろう。老化を止めることはできなくても、遅らせることが可能になり、死の管理が容易になるに違いない。

この急旋回により、建築材料、建物の設計、都市計画、インフラの構想は、大きな進歩を遂げる。省エネと「命の経済」が推進され、われわれは、不可避な地球温暖化の影響に適応できるようになる。

海水の淡水化や排水のリサイクルにより、水不足はほぼ解消される。

リユースやケミカル・リサイクルにより、新たに製造しなくても化学製品の利用が可能になる。

有機農業や再生農業の発展、土壌の監視、痩せた土壌の回復に、すでに利用可能なテクノロジーを利用する。たとえば、（窒素を含まない）土壌に適した肥料の使用、自然のサイクルに合った多様な農業への回帰、単一栽培の制限、輪作などだ。こうした農業は手間がかかる。だが、収穫量は産業的な農業よりもはるかに多くなり、生態系への影響も軽減される。土壌の再生は、気候変動対策である炭素の吸収と生物多様性の保護のための強力な手段になる。

地球に残された三大原生林（メコン、中央アフリカ、アマゾン）を保護する。

昆虫の生産を発展させる。ミールワームの生産に必要な穀物の量は、牛肉の七分の一だ。メキシコで大量に消費されているコオロギに含まれるたんぱく質の量は、一〇〇グラム当たり最大四八グラムだ（牛肉は二八グラム）。

海藻の生産も発展させる。海藻には陸上の植物よりも、たんぱく質、アミノ酸、脂肪酸、ビタミン、酵素、色素が多く含まれ、ヘクタール当たりの収穫量も多い。

二酸化炭素の分離回収技術、とくに大気中の二酸化炭素を直接回収して燃料や化学製品に転換する技術の研究を加速させる。

新たなテクノロジーを使って森林を再生する、というアイデアもある。しかしながら、植林よりも、現存する森林の保護を優先すべきだろう。

新たなテクノロジーにより、大量の再生可能エネルギーの利用が可能になる。今日予想されているよりもはるかに早い時期、たとえば二〇五〇年ごろには、太陽光発電、風力発電、熱併給発電、地球工学、再生可能エネルギーの貯蔵などを効率化するテクノロジーが開発されているはずだ。持続可能なエネルギーは、水の電気分解やメタンの熱分解によって、水素として生産されるだろう。こうした新たなテクノロジーは、すでに存在する。

放射性廃棄物の寿命の大幅短縮と、核融合の産業利用が可能になり、ほぼ無限の脱炭素エネルギー源を確保できるようになる。このころには、エアゾルや雲の動きの制御によって太陽光を逸らせたり、太陽光の影響を緩和したりするテクノロジーも開発されている。さらには、一次産品を調達するために太陽系の惑星や衛星にまで行く日が訪れるかもしれない。

われわれは、「急旋回」から現実的に何を期待できるのだろうか。

各国がこれまで掲げた公約を実行しただけでは、二〇五〇年の世界のエネルギー消費量は今日よりも一五％増加している。ところが、「命の経済」へ移行すれば、二〇五〇年まで毎年一％以上の削減が可能になる。たとえば、航空交通量を一二％減らすだけで、航空機の温室効果ガスの排出量は五〇％削減できる（排出量は、国際航空運送協会のシナリオでは二倍、国際エネルギー機関の見通しでは三倍になるという）。

「急旋回」では、消費されるエネルギー全体に化石燃料が占める割合は、わずか二〇％（二〇二三年は八〇％）になる。総発電量に占める原子力発電の割合は一四％、再生可能エネルギーの割合は六六％になる（バイオマス、太陽光、風力が三分の一ずつ）。

これらを実現するには、「命の経済」への継続的な投資が必要になる。たとえば、今から二〇五〇年まで、これらの部門への年間投資額を二〇二三年の二倍にする。投資額の半分は、電力インフラの拡充とエネルギー効率の向上に割り当てる。

石油や石炭関連の雇用は新エネルギー関連の雇用に移行するなど、雇用状況は大きく変化するはずだ。

独裁あるいは民主主義

私は、これらすべてを実行に移すのが至難の業であることを承知している。これら三つの袋小路から抜け出す、そして三つの致命的な脅威を回避するのは困難きわまりないだろう。しかし、私は大惨事を避けるには「急旋回」しかないと断言する。

そこで、どうすればこれらの改革を実行に移すことができるのかという問題が浮上する。大衆は、これらほとんどの改革案に同意しないだろう。

世界政府が存在しない状況において、貧困層の人々に対し、彼らには何の責任もない気候変動による災害の激化を加速させないために、西側諸国の中流階級や富裕層と同じ生活様式を夢見てはいけないと諭すには、どうすればよいのだろうか。

富裕層の無頓着の代償を貧困層に支払わせることを回避するには、どうすればよいのだろうか。「死の経済」における熾烈な競争に乗り出した国に対し、そうした競争から抜け出すように説得するには、どうすればよいのだろうか。

富の大半を独占する超富裕層に対し、節度ある暮らしを送るように促すには、どうすればよいのだろうか。

先述の三つの脅威への道筋のいずれかに迷い込まないようにするには、どうすればよいのだろうか。世界、主要国、大企業の指導者のやる気に関係なく、民主主義によって「急旋回」を実現することは可能だろうか。われわれは、大災害に見舞われて恐怖に駆られないと行動を起こさないのだろうか。そのときはもう手遅れではないのか。

一見すると、これらの問題を手際よく解決し、「急旋回」を成し遂げることができるのは、地球規模の独裁者だけに思えてくる。実際、過去において大改革を断行したのは往々にして独裁政権だった。社会民主主義の基盤整備という触れ込みの大型の政策は、ビスマルク、ムッソリーニ、レーニン、ヒトラーの四つの全体主義政権が最初に着手し、その後に、フランクリン・ルーズベルト、スウェーデン人、フランス人が民主的に同様の手法を用いた。

大惨事が迫ってパニックになれば、独裁的な環境政策を訴えたり、課したりする者が現れるだろう。彼らは宗教原理主義者と結託し（儀礼秩序と帝国秩序への回帰）、世界のあちこちで先述のさまざまな脅威を社会に押し付けるだろう。

CIA（中国、インド、ASEAN）など、すでに非民主的なアジア社会の場合、独裁的な環境政策が行われる可能性は高い。

たとえば、地球温暖化による気温の上昇幅を一・五度〔摂氏〕以内に抑えるには、中国は今から二〇五〇年までに、現在の排出量を八五％削減しなければならない。この場合、エネルギー消費全体に占める化石エネルギーの割合は二五％でなければならない。エネルギー消費の三分の二を電力で賄い、電力の九〇％は再生可能エネルギーによって賄う必要がある。これを実現するには、中国では化石燃料とプラスチック製品を国家規模の配給制にせざるをえない。そうなれば、政権の特権階級が貧者から買い上げる権利を販売する（合法および非合法の）市場が出現するに違いない（中国の他の分野では、そのような市場がすでに存在する）。

あるいは、独裁者による婉曲なやり方も考えられる。形骸的な民主主義のもと、国民の自由と生活の質を守るという触れ込みで、彼らの行動に規範を課し、義務ではないにせよ、規範の遵守を迫るというやり方だ。だが、これは全体主義と変わらない。

あからさまな、あるいは暗黙裡の独裁者のこうしたやり方を阻止するには、民主主義は「急旋回」を剥奪や罰ではなく、国民が自らの意思で取り組むポジティブな進歩に変えなければならない。しかしながら、近年のフランスでは「赤い毛糸帽の反乱〔トラックの走行距離に対する課税に対する反対運動〕」、「黄色いベスト運動〔燃料価格の上昇などに対する反対運動〕」、年金改革法案に対する抗議運動などの悲惨な失敗があったように、「急旋回」は政治的にきわめて困難だ。

まず、西側諸国と同じ間違いを犯さないように、中国、インド、ナイジェリアを説得しなければならない。争点に関する説明と討論を大規模に行うと同時に、積極的な外交活動を展開する必要がある。彼らが電話の分野で成し遂げたこと（固定電話を経ずに携帯電話を普及させた）は、エネルギーなどの分野でも実践できるはずだ。再生可能エネルギーを普及させるには、国際炭素価格を高めに設定し、生産や輸送時に回収する以上の二酸化炭素を排出する製品や、土壌の再生能力を破壊する製品の消費を世界中で禁止すべきだ。

「急旋回」の実現には、フェイクニュースに対する効果的なツールを開発し、ヴァーチャルと現実を簡単に区別できるようにし、将来世代の利益に関してさまざまな選択に関する長期的な影響をシミュレーションするなどして、充分な情報を提示し、集団的、民主的な意思決定ができるようにする必要がある。

これらの手段は、少なくとも大陸規模で実施される場合のみ効果を発揮する。全員の利益を考慮して長期的な選択を課す、真に民主的で世界的な機関が欠かせない。先述の多くの提案には、国際的な規制と課税が必要になる。世界規模であってこそ、不正の横行しない富の再分配が実現でき、技術進歩をポジティブな方向に導くことができる。

では、必要とされるグローバルな機関は出現するのだろうか。私は、少なくとも今後三〇年以内に世界政府が樹立されることはないと思う。もしかしたら、この「世界の取扱説明書」を実行に移すことのできる民間あるいは公的な世界規模の規範が生まれ、大惨事の到来が先送りにされるかもしれないが、先行きはまったく不透明だ。

いずれにせよ、個人の理性的な行動と一致団結した闘争が必要になる。とにかく、われわれ自身が変わらなければ、何も変わらないのだ。

結論
今の自分に何ができるのか

地球号の乗組員各自が仲間の乗組員に正しい行動を促し、彼らに航海に関する深い知識を授けることは、自分自身の利益になる。チームワークと集団行動の大切さ、乗組員仲間の訓練、利他主義の利己的な効用、そして予測、明敏さ、制約に関する知識の重要性を理解することは、乗組員全員の利益になる。

優れた船乗りは、風や潮の流れに逆らわず、それらを利用する。同様に、われわれも本書で述べた不可避な傾向に抗うのではなく、これらを利用するのだ。

そのためには、まず予測だ。本書の冒頭から説いてきたように、生きる力は自由と同様、予測から始まる。われわれ各自の暮らしにおいても、予測は重要だ。われわれは、自分たちを待ち受けることを可能な限り予測し、その対処法を習得しておかなければならない。その前提になるのは、常時押し寄せるフェイクニュースの濁流、曖昧な知識、イデオロギーによる操作、権力者による圧力から逃れることだ。そして予期せぬこと、ありえないと思っていること、予見できないことにも備える必要がある。そのためには、われわれ各自は次に掲げる三つの課題に取り組まなければならない。

学ぶ

本書の最大の目的は、「世界の取扱説明書」を提示し、三つの袋小路と三つの致命的脅威を明示し、最悪の事態は回避可能だと説くことにより、世界の隠された原動力を明らかにすることだ。各国の学校やメディアでは、これらのことを教えるべきだ。なぜなら、敵と戦うには相手の行動を予測する必要があるからだ。

本書で紹介した知識は、巻末に掲げた書籍などによって深めることができる。クラブ、団体、労働組合、政党、そして公的、地方、国、国際機関などにおいて、これらのテーマについて徹底討論をすべきだろう。

予見する

袋小路と脅威に直面したとき、われわれは、最悪の事態に対して目を背けたり諦めたりするのではなく、個人そして集団として、自分たちを待ち受ける危険に立ち向かう勇気を持たなければならない。欠乏という課題に挑む、利他的であることの利益を理解する、自分の仕事に意味を持たせる、同時代や将来世代のニーズに対応するなどの勇気だ。

これらすべての点において、常に欠乏に見舞われ、倹約を強いられ、連帯することによって生き延びている恵まれない人々のほうが、危険に無頓着で自分の豊かさを当然と考える富裕層よりも往々にして備えができている。

まず、月並みな取り組みとして、各自は、自身の物質的な状況に関する歴史をできるだけ正確に把握するための手段を習得し、これを利用して自分の将来を予測してみる。そのためには、自分の資産と負債を洗い出し、過去と未来の収支計算を行う。

つましい生活者がこのような資産管理を行うのは無理だと思う読者もいるかもしれない。だが、実態はまったく逆だ。新興国や先進国の零細起業家を長年にわたって支援してきた私の経験からすると、毎月半ばから資金繰りが苦しくなるその日暮らしの貧困層のほうが、勘定に無頓着な富裕層よりも、過去、現在、未来の己の予算の限界と詳細をはるかに正確に理解している。

まず、各自が己の収支を、金額と労働時間の観点から詳細にリストアップする（過去数年分、今年分、できれば将来分）。そして、「命の経済」と「死の経済」についても収支を明確にする。

これらの予測を行う際は、データを自動的に読み込んで過去との比率を計算し、結果をわかりやすく提示してくれるデジタル・ツール（例：PFM／個人財産管理）が役に立つ。こうしたツールは、結果が予測と目標から乖離したときに警告を発し、的確なアドバイスをくれる。現在のところ、大手の金融機関でこれらのツールを利用し始めたのは、カナダロイヤル銀行とウェルズ・ファーゴの二行のみだ。銀行がこうしたツールを提供しないのは怠慢だろう（おそらく過去の不始末の処理で余裕がないのだろう）。これらのツールを応用すれば、自身の浪費、自然に与えるダメージ、年間の二酸化炭素排出量の計測も可能だろう。

さらに踏み込んで、自分の生活態度を分析する。食やスポーツの習慣、自身の心理状態、職場や学校での出来事、友人関係、読書、余暇の過ごし方、過去の大きな出来事、自分の将来を脅かすだろうこと、瞑想および音楽を聴く能力、友人と敵のリスト、仕事上および感情面の見通しなどを分析する。これらの分析から己の行動パターン（例：吝嗇あるいは浪費、冷静あるいは神経質など）を把握し、現在の習慣（とくに食）、仕事、身体的および知的活動、人間関係などをそのまま維持した場合の将来を予測する。

また、予測していたこと（本書の予測も含む）について再考を促すことになるだろう、予期せぬ出来事に対する備えも必要だ。事故、出会い、ひと目ぼれ、別れ、裏切りなどの思いがけないことであっても、通常、何らかの予兆がある。予期せぬことに備えるには、真剣に熟考し、脳の三つの部分（脳幹、大脳辺縁系、大脳新皮質）を利用することだ。

同様に、自分の職場、社会、政治の環境を正確に理解し、予測する。そのためには、損益計算書の読み方を学んでおくべきだ（自分が勤める会社の損益計算書くらいは正確に把握しておく）。損益計算書は、企業に「入ってくるお金（売上高）」と「出ていくお金（おもに人件費）」を示す。この差額が損益だ。収益は企業の存続条件であり、配当は、資本に対する報酬だ。ＥＢＩＴＤＡ（企業価値評価の指標）についても知っておくべきだ。

キャッシュフロー計画、そして負債の部（資本金や借入金など）と資産の部（投資、特許、株式、現金など）からなる貸借対照表の読み方も学んでおくべきだ。

非財務会計についても、精通していなければいけない。先ほど述べたように、この会計は、倫理、環境、社会に関するデータをまとめ上げたものだ。また、企業が利用する一次産品の産地、企業が直接的、（仕入れ先、下請け企業、顧客などを通じて）間接的に排出する温室効果ガスの量、自社および取引先の従業員の労働条件などについても、把握しておく必要がある。

企業を調査する際には、その活動部門が「命の経済」なのか「死の経済」なのかを確認し、仮に「死の経済」だとしても「命の経済」へと移行中なのかを見きわめる必要がある。さらには、環境に配慮しているように装いごまかす「グリーンウォッシング」を見抜く必要がある。こうした推移を予測するには、驚異的なペースで進歩する人工知能をさらに活用しなければならない。

企業のすべての利害関係者（経営陣、従業員、株主、労働組合、消費者、投資家、債権者、公的機関）が、これらすべてをデジタル・アプリケーションで利用できるようにする。

同様に、全員が恩恵を受ける共有財を管理する公的機関の会計を読み解き、共有財の財源としてわれわれが支払う税金の使い道を精査する必要がある。そのためには、自身の関係する自治体のすべてを常時把握できるアプリケーションが不可欠だ。このようなアプリケーションがあれば、たとえば、子供を学校に通わせるための費用、出産費用、救急医療費、一〇キロメートル当たりの道路補修費などを、誰もが知ることができるようになる。

これらの作業を行えば、先ほど述べた歴史物語における自分自身の位置づけを確認できる。たとえば、自分が暮らしているのは、「心臓」、「中間」、「周縁」のうち、どれなのか。自分が生活しているのは、ポジティブな国あるいは都市なのか。自分が働いている部門は「命の経済」、それとも「死の経済」なのか。自分はポジティブな企業で働いているのか。自分自身はポジティブだろうか。自己の収入の使い道、勤め先の労働分配率、自国の予算配分に、自分は満足しているだろうか。自国は、三つの袋小路、すなわち三つの脅威へと至るシナリオのうちの一つに向かっているのではないか。それとも、ポジティブな国なのだろうか。失敗することや予想外の事態に対する備えはできているだろうか。もし、そうなっても落胆せずに対応できるだろうか。

行動する

変化を予測したのなら、あとは行動するだけだ。

自分自身の「取扱説明書」なくして「世界の取扱説明書」は存在しない。われわれ各自は深く内省することにより、自分自身の将来に関する考察を、先述のことから導き出す必要がある。

自分は最善の選択をしてきただろうか。現在、自分は時間を有効に使っているだろうか。自身の失敗から、どんな教訓を得ることができるだろうか。自分にとって最も幸せなこととは何か。

自分に残された時間をどう利用すべきか。自分の身体と精神を律するには、どうすればよいのか。歴史のダイナミズムから自分の将来を占うことはできるだろうか。自分自身、家族、会社、都市、国、世界の未来に働きかけることはできるだろうか。今の自分から最大の力を引き出すには、どうすればよいのか。会社、職業、個人的な環境を変えれば、自分の人生は好転するのではないか。自分は、自身の特権と責任を自覚しているだろうか。自分は、伴侶、親、消費者、市民、労働者、選挙民、組合員として、最善の行動をとっているだろうか。自分は、将来世代の幸福が自身にとって重要だと自覚しているだろうか。自分は「急旋回」に貢献しているだろうか。自分は、自身や他者にとって最善と思われることをなすために積極的に活動しているだろうか。

さらには、自分は、これから誕生するすべての子供たちがわが子であるかのように行動しているだろうか。

選択肢のないものもある。たとえば、「死の経済」(化石燃料、肉、砂糖、タバコ、アルコールなどの消費)への出費の割合は、減らさなければならない。すなわち、節度ある暮らしを送ることだ。だが、それは退屈な暮らしや配給制の社会を意味するのではない。なぜなら、会話、読書、発信、音楽、芸術全般、庭仕事、料理、日曜大工など、制限なく利用できる財はたくさんあるからだ。

貧しい人々の中には生活の知恵として、ほとんどの金持ちよりも、自分たちの持つわずかなものをよりよく利用する術を身につけている者たちがいる。

誰もが、他者を思いやる気持ちを持つべきだ。将来世代を害することはしない。将来世代にできる限りの支援を施す。ある人が自由を謳歌できるのは、他者の自由が始まる時点までだ。ここでいう他者は、生きている者はもとより、まだ生まれていない者も含まれる。さらには人間ではない場合もある。

より一般的には、伴侶、親、消費者、労働者、預金者、市民、活動家として、明晰かつポジティブに行動すべきだ。

「世界の取扱説明書」の実行には、集団行動もともなう。集団行動の責任を他者に押し付けてはいけない。一人の男、一人の女、万能と思われる機械に、意思決定を一任してはいけない。

カール・マルクスは世界中で労働者に対する搾取が始まると、一八六四年に「国際労働者協会」の結成を提唱した。彼の見通しは正しかったが、彼は失敗した。今日、われわれは地域および世界規模で「急旋回」を実施するのに必要な諸制度を構築するために「善意の人々の国際同盟」を設立すべきだろう。

数多くの善意の人々が「世界の取扱説明書」を一丸となって実践すれば、最悪は回避され、最善が訪れるかもしれない。

本書がその一助になれば幸いだ。

謝辞

シャーロット・マイヤーとジュール・ヴァランは、本書で利用したデータの出典を検証してくれた。

次に掲げる方々との会話（および彼らの本書に対する感想）から大きな刺激を受けた。ベサベ・アタリ、ジェレミー・アタリ、ラチダ・アズーズ、ヴィオレット・ブヴェレ、テオファン・デュモン、ギヨーム・デュポン、ニアール・ファーガソン、アンドレアス・ゲルゲン、セルギエフ・グレイエフ、ヘンリー・キッシンジャー、クレモン・ラミー、エルヴェ・ル・ブラーズ、シャーロット・ル・メニャン、キショール・マブバニ、ジュリー・マルチティネス、カリム・マシモフ、エドガー・モラン、トム・シーベル、モスタファ・テラブ、セオドア・ゼルディン。

いつものように編集を担当してくれたソフィー・ド・クロゼッツをはじめ、ファニー・クリトン、フランソワ、デュルケーム、ヴァージニ・ガレット、コレット・マランダン、サンディー・リゴルトらに感謝したい。

読者からのお便りを待っている。　j@attali.com

訳者あとがき

本書は二〇二三年五月にフランスのフラマリオン（Flammarion）社から出版された『*Le Monde, modes d'emploi : Comprendre, prévoir, agir, protéger*』（世界の取扱説明書：理解する、予測する、行動する、保護する）の全訳だ。

著者のジャック・アタリ氏は一九四三年、当時フランス領であったアルジェリアで、双子の兄弟のひとりとして誕生した。フランスのエリート養成校として知られる国立行政学院（ＥＮＡ）を卒業し、一九七二年にパリ第九大学（現・パリ＝ドフィーヌ大学）で経済学の博士号を取得。一九八一年から九一年にかけてフランス大統領ミッテランの特別顧問、一九九一年から九三年にかけて欧州復興開発銀行初代総裁を務めたほか、サルコジ、オランド、マクロンら歴代フランス大統領への政策提言を行い、ヨーロッパの政治、経済、文化に大きな影響を与えてきた。また、一九九八年に非政府組織「プラネット・ファイナンス」を創設するなど、途上国支援にも積極的に取り組んでいる。

日本の読者に向けて、本書に序文を寄せてくれたように、アタリ氏と日本との関わりは深い。新型コロナウイルス感染症の世界的流行が始まる以前は、毎年のように来日していた。『２０３

0年ジャック・アタリの未来予測』(二〇一六年。本書では、コロナ禍とウクライナ紛争を見事に予測した)、『海の歴史』(二〇一八年)、『食の歴史』(二〇二〇年)、『命の経済』(二〇二〇年)、『メディアの未来』(二〇二一年)などの著書が広く読まれていることに加え、近年では日本のメディアに頻繁に登場している。プレジデント社の月刊誌『プレジデント』や、日本経済新聞において論考を定期的に執筆し、NHKの特集番組でも、お馴染みの存在だ。

コロナ禍が収束した二〇二三年四月上旬、アタリ氏が来日した。その際、訳者は本書の編集担当者である渡邉崇氏とともに談笑する機会に恵まれた。振り返ると、アタリ氏と初めて会ったのは二〇〇八年のパリだった。当時のアタリ氏は、非常に気難しい知識人という印象があり、私だけでなく周囲の人々も緊張していたことを思い出す。ところが、今年四月の東京では、すっかり角が取れたという印象で、終始笑みを絶やさず、冗談が飛び交うなか、くつろいだ雰囲気だった。

本書からもわかるように、今年八〇歳になるアタリ氏の俯瞰力は、さらに磨きがかかっている。アタリ氏によると、近未来には、気候変動、超紛争、人工化という三つの脅威が待ち受けているという。

気候変動は、身の回りで極端な災害が起こるまで自覚しにくいことに加え、極端な災害が起こっても周期的な自然の摂理と人為的な原因による影響を切り分けるのが難しい。だが、重い病気を投薬によって完治させるのが難しいように、気候の「病気」を治療するは著しく困難だろう。

そもそも「病気」や「治療」に対する社会的コンセンサスが得られない。それだけに、気候変動はさらに不可逆的になる。人類にとって、気候変動が真の脅威なら、超紛争でいがみ合う余裕などなく、われわれは国境や民族を超えて一致団結する必要がある。

本書の超紛争の予測で不気味なのは、日本が核保有国になるという指摘だ。これは誰もが薄々感じてはいるが、正面から考えたくない問題の一つだ。アタリ氏は、北朝鮮という脅威が引き金になり、日本が核武装するというシナリオを提示している。被爆国の日本は、すでにアメリカの核の傘下にあり、事実上の核保有国という見方もあるが、日本が堂々と核兵器を保有するようになれば、安全保障に関する日本の世論は大きく変化するだろう。本書の指摘にある通り、日本が核保有国になれば、経済成長の著しい近隣諸国も追随するに違いない。そうなれば、核兵器が利用されるリスクは一気に高まる……。

アタリ氏によると、現在は「ポスト工業化社会」ではなく、サービスを新たな工業製品に変えることを目的とする「サービスの工業化社会」だという。たしかに、歴史を振り返ると人間の労働は、工業製品によって代替されてきた。自動車の運転も、工業製品化が視野に入ってきた。生殖も例外でない。不妊治療による体外授精が一般化した今日、オーダーメイドの子供をつくりたいという要望は、当然生じるはずだ。核技術と同じく、発見した技術を利用しないでおくことは、人類にはできないだろう。問題になるのは利用目的だが、これを線引きするのは、倫理的、哲学的な問題だ。これまでサービスの工業化により、われわれの暮らしは確実に豊かになった。アタリ氏の警告によると、われわれはさらなる豊かさを求め、自分自身の人工化という最後のフロンティアに向けて歩んでいるという。

本書が、アタリ氏の唱える三つの脅威を考えるきっかけになることを願っている。というのも、何事も先回りして事態を俯瞰しておくことが、われわれのサバイバルにとって最も重要だからだ。

二〇二三年七月

林　昌宏

二〇二三年四月、都内のホテルにて、アタリ氏とプレジデント社書籍編集部の渡邉崇氏とともに。

著者紹介

ジャック・アタリ（Jacques Attali）

1943年アルジェリア生まれ。フランス国立行政学院（ＥＮＡ）卒業、81年フランソワ・ミッテラン大統領顧問、91年欧州復興開発銀行の初代総裁などの、要職を歴任。政治・経済・文化に精通することから、ソ連の崩壊、金融危機の勃発やテロの脅威などを予測し、2016年の米大統領選挙におけるトランプの勝利など的中させた。林昌宏氏の翻訳で、『2030年ジャック・アタリの未来予測』『海の歴史』『食の歴史』『命の経済』『メディアの未来』（小社刊）、『新世界秩序』『21世紀の歴史』『金融危機後の世界』『国家債務危機――ソブリン・クライシスに、いかに対処すべきか？』『危機とサバイバル――21世紀を生き抜くための〈７つの原則〉』（いずれも作品社）、『アタリの文明論講義：未来は予測できるか』（筑摩書房）など、著書は多数ある。

翻訳者紹介

林 昌宏（はやし・まさひろ）

1965年名古屋市生まれ。翻訳家。立命館大学経済学部卒業。訳書にジャック・アタリ『2030年 ジャック・アタリの未来予測』『海の歴史』『食の歴史』『命の経済』『メディアの未来』（小社刊）、『21世紀の歴史』、ダニエル・コーエン『経済と人類の1万年史から、21世紀世界を考える』、ボリス・シリュルニク『憎むのでもなく、許すのでもなく』他多数。

世界の取扱説明書

理解する、予測する、行動する、保護する

2023年10月17日　第1刷発行
2024年12月 7 日　第3刷発行

著　者　ジャック・アタリ
翻訳者　林昌宏
発行者　鈴木勝彦
発行所　株式会社プレジデント社
〒102-8641東京都千代田区平河町2-16-1
平河町森タワー13階
https://www.president.co.jp/　https://presidentstore.jp/
電話　編集 (03) 3237-3732
販売 (03) 3237-3731

販　売　桂木栄一　高橋 徹　川井田美景　森田 巌　末吉秀樹
編　集　渡邉 崇
装　幀　秦 浩司
制　作　関 結香
印刷・製本　TOPPANクロレ株式会社

ISBN978-4-8334-2512-4
Printed in Japan

原注

Philippe AGHION, *Entrepreneurship and Growth. Lessons from an Intellectual Journey*, Stockholm, Entrepreneurship Prize Award Lecture, 2016.

Michel AGLIETTA et André ORLÉAN, *La Monnaie : entre violence et confiance*, Paris, Odile Jacob, 2002.

Laurent ALEXANDRE, *La Guerre des intelligences*, Paris, J.C. Lattès, 2023.

Samir AMIN, *L'Accumulation à l'échelle mondiale*, Paris, Éditions Anthropos, 1970.

Samir AMIN, *Global History – a View from the South*, Oxford, Pambazuka Press, 2010.

Samir AMIN, André FRANK GUNDER, Giovanni ARRIGHI et Immanuel WALLERSTEIN, « Transforming the revolution: social movements and the world system », *Monthly Review Press*, New York, 1990.

Jacques ATTALI, *La Parole et l'Outil*, Paris, PUF, 1976.

Jacques ATTALI, *Bruits*, Paris, PUF, 1977.

Jacques ATTALI, *La Nouvelle Économie française*, Paris, Flammarion, 1978.

Jacques ATTALI, *L'Ordre cannibale*, Paris, Grasset, 1979.

Jacques ATTALI, *Histoires du temps*, Paris, Fayard, 1982.

Jacques ATTALI, *Au propre et au figuré*, Paris, Fayard, 1988.

Jacques ATTALI, *Une brève histoire de l'avenir*, Paris, Fayard, 2006, rééd. 2009.

Jacques ATTALI, *Peut-on prévoir l'avenir ?*, Paris, Fayard, 2015.

Jacques ATTALI, *Histoires de la mer*, Paris, Fayard, 2017.

Jacques ATTALI, *Histoires de l'alimentation : de quoi manger est-il le nom ?*, Paris, Fayard, 2019.

Jacques ATTALI, *Histoires des médias : des signaux de fumée aux réseaux sociaux, et après*, Paris, Fayard, 2021.

Jacques ATTALI, *Histoires et avenirs de l'éducation*, Paris, Flammarion, 2022.

Jacques ATTALI et Marc GUILLAUME, *L'Anti-économique*, Paris, PUF, 1975.

Lukas AUBIN, *Géopolitique de la Russie*, Paris, La Découverte, « Repères », 2022.

Bertrand BADIE, *Sociologie de l'État*, Paris, Grasset, 1982.

Paul BAIROCH, *Victoires et déboires. Histoire économique et sociale du monde du XVIe siècle à nos jours*, Paris, Gallimard, « Folio Histoire », 1997.

William BAUMOL, *The Free-Market Innovation Machine. Analysing the Growth Miracle of Capitalism*, Princeton, Princeton University Press, 2002.

Jean-François BAYART, *Le Gouvernement du monde. Une critique politique de la globalisation*, Paris, Fayard, 2004.

Rémi BEAU et Catherine LARRÈRE, *Penser l'anthropocène*, Paris, Presses de Sciences Po, 2018.

Ulrich BECK, *Ecological Politics in an Age of Risk*, Cambridge, Polity Press, 1995.

Thomas BENDER (dir.), *Rethinking American History in a Global Age*, Berkeley, University of

California Press, 2002.
Peter L. BERNSTEIN, *Des idées capitales. Les origines improbables du Wall Street moderne*, Paris, PUF, 1995.
Olivier BLANCHARD et Daniel COHEN, *Macroéconomie*, Montreuil, Pearson Education, 2007 (4e éd.).
Jean-Joseph BOILLOT, *L'Économie de l'Inde*, Paris, La Découverte, « Repères », 2016.
Luc BOLTANSKI et Ève CHIAPELLO, *Le Nouvel Esprit du capitalisme*, Paris, Gallimard, 1999.
Philippe BONTEMS et Gilles ROTILLON, *L'Économie de l'environnement*, Paris, La Découverte, « Repères », 2013.
Ester BOSERUP, *The Conditions of Agricultural Growth*, Londres, Allen & Unwin, 1965.
Anu BRADFORD, *The Brussels Effect: How the European Union Rules the World*, New York, Oxford University Press, 2020.
Loren BRANDT et Thomas G. RAWSKI (dirs), *China's Great Economic Transformation*, Cambridge, Cambridge University Press, 2008.
Fernand BRAUDEL, *Civilisation matérielle, économie et capitalisme, XVe-XVIIIe siècle*, Paris, Armand Colin, 1979.
Fernand BRAUDEL, *Dynamique du capitalisme* [1977], Paris, Flammarion, « Champs », 1985.
Fernand BRAUDEL, *Grammaire des civilisations*, Paris, Arthaud, 1987.
T.H. BREEN, *The Marketplace of Revolution: How Consumer Politics Shaped American Independence*, New York, Oxford University Press, 2004.
Anton BRENDER, Florence PISANI et Émile GAGNA, *Économie de la dette*, Paris, La Découverte, « Repères », 2021.
Robert BRENNER, *Property and Progress. The Historical Origins and Social Foundations of Self-Sustaining Growth*, Londres, Verso, 2009.
Stephen BROADBERRY et Kevin O'ROURKE, *The Cambridge Economic History of Modern Europe*, Cambridge, Cambridge University Press, 2010.
Alexandre BRUN et Frédéric LASSERRE, *Le Partage de l'eau. Une réflexion géopolitique*, Paris, Odile Jacob, 2018.
Erik BRYNJOLFSSON et Andrew MCAFEE, *Le Deuxième Âge de la machine*, Paris, Odile Jacob, 2015.
Victor BULMER-THOMAS, John COATSWORTH et Roberto CONDE (dirs), *The Cambridge Economic History of Latin America*, Cambridge, Cambridge University Press, 2006.
François CARON, *Histoire économique de la France (XIXe-XXe siècles)*, Paris, Armand Colin, 1995.
Manuel CASTELLS, *La Société en réseaux. L'ère de l'information*, trad. Philippe Delamare, Paris, Fayard, 1998.
Paul COLLIER, *The Bottom Billion*, Oxford, Oxford University Press, 2008.

François CROUZET, *Histoire de l'économie européenne, 1000-2000*, Paris, Albin Michel, 2000.
Ray DALIO, *The Changing World Order: Why Nations Succeed and Fail*, New York, Avid Reader Press, 2021.
Herman DALY, *Steady State Economics*, San Francisco, W.H. Freeman, 1977.
Robert DELIÈGE, *Une histoire de l'anthropologie : Écoles, auteurs, théories*, Paris, Seuil, 2006.
Don DELILLO, « In the Ruins of the Future », *Harper's Magazine*, 2001, p. 33-40.
Jan DE VRIES, *The Industrious Revolution. Consumer Behaviour and the Household Economy, 1650 to the Present*, Cambridge, Cambridge University Press, 2008.
Bruce DICKSON, *The Dictator's Dilemma. The Chinese Communist Party's Strategy for Survival*, New York, Oxford University Press, 2016.
Esther DUFLO et Abhijit BANERJEE, *Économie utile pour des temps difficiles* [2019], trad. Christophe Jacquet, Paris, Seuil, 2020.
Alan EHRENHALT, *The Great Inversion and the Future of the American City*, New York, Knopf, 2012.
Norbert ELIAS, *La Civilisation des mœurs*, Paris, Calmann-Lévy, 1973.
Norbert ELIAS, *La Dynamique de l'Occident*, Paris, Calmann-Lévy, 1975.
Yaron EZRAHI, *The Descent of Icarus: Science and the Transformation of Contemporary Democracy*, Harvard University Press, 1990.
Ronald FINDLAY et Kevin O'ROURKE, *Power and Plenty. Trade, War, and the World Economy in the Second Millenium*, Princeton, Princeton University Press, 2007.
Laurence FONTAINE, *L'Économie morale. Pauvreté, crédit et confiance dans l'Europe préindustrielle*, Paris, Gallimard, 2008.
Dominique FORAY, *The Economics of Knowledge*, Cambridge, The MIT Press, 2004.
François FOURQUET, *Richesse et puissance. Une généalogie de la valeur (XVIe-XVIIIe siècle)*, Paris, La Découverte, 1989.
Milton FRIEDMAN, *Capitalism and Freedom*, Chicago, University of Chicago Press, 1962.
Francis FUKUYAMA, *La Fin de l'histoire et le dernier homme*, Paris, Flammarion, 1992.
John K. GALBRAITH, *Le Nouvel État industriel*, Paris, Gallimard, 1967.
Nicholas GEORGESCU-ROEGEN, *The Entropy Law and the Economic Process*, Cambridge, Harvard University Press, 1971.
GIEC, *6e rapport de synthèse*, mars 2023.
René GIRARD, *La Violence et le Sacré*, Paris, Grasset, 1972.
Pierre-Noël GIRAUD, *Le Commerce des promesses, petit traité de finance moderne*, Paris, Denoël, 2001.
Robert GORDON, *The Rise and Fall of American Growth*, Princeton, Princeton University Press, 2016.
Stephen J. GOULD, *La Structure de la théorie de l'évolution* [2002], trad. Marcel Blanc, Paris, Gallimard, « NRF », 2006.
David GRAEBER, *Debt. The First 5000 Years*, Brooklyn, Melville House Publishing, 2011.
Yuval Noah HARARI, *Sapiens : Une brève histoire de l'humanité*, trad. Pierre-Emmanuel

Dauzat, Paris, Albin Michel, 2015.
Yuval Noah HARARI, *Homo Deus : Une brève histoire de l'avenir*, trad. Pierre-Emmanuel Dauzat, Paris, Albin Michel, 2017.
Friedrich HAYEK, *The Road to Serfdom*, Londres, Routledge, 1944.
Friedrich HAYEK, *The Constitution of Liberty*, Chicago, University of Chicago Press, 1960.
Samuel HUNTINGTON, *Le Choc des civilisations*, Paris, Odile Jacob, 1997.
Benjamin J. HURLBUT, *Experiments in Democracy: Human Embryo Research and the Politics of Bioethics*, New York, Columbia University Press, 2017.
Jane JACOBS, *The Death and Life of Great American Cities*, New York, Random House, 1961.
Bimal JALAN, *The Future of India, Politics, Economics and Governance*, New Delhi, Viking-Penguin, 2005.
Sheila JASANOFF, *Reframing rights: Bioconstitutionalism in the Genetic Age*, The MIT Press, 2011.
Sheila JASANOFF, *Can Science Make Sense of Life?*, Polity, 2019.
Gilles KEPEL, *Jihad. Expansion et déclin de l'islamisme*, Paris, Gallimard, 2001.
Naomi KLEIN, *No logo. La tyrannie des marques*, Arles, Actes Sud, 2001.
Paul KRUGMAN, *Pourquoi les crises reviennent toujours ?*, Paris, Seuil, 1999.
Yves LACOSTE, *Géopolitique. La longue histoire d'aujourd'hui*, Paris, Larousse, 2012.
Zaki LAÏDI, *La Norme sans la force. L'énigme de la puissance européenne*, Paris, Presses de Sciences Po, 2008, éd.
Naomi LAMOREAUX, Daniel RAFF et Peter TEMIN (dirs), *Learning by Doing in Markets, Firms, and Countries*, Chicago, University of Chicago Press, 1999.
Claude LEFORT, *Essais sur le politique, XIX*[e] *et XX*[e] *siècles*, Paris, Seuil, « Esprit », 1986.
Claude LÉVI-STRAUSS, *Tristes Tropiques*, Paris, Plon, 1955.
Kishore MAHUBANI, *Has China Won?*, New York, PublicAffairs, 2020.
Colin MCEVEDY et Rochard JONES, *Atlas of World Population History*, Harmondsworth, Penguin Books, 1978.
Carl MINZNER, *End of Era. How China's Authoritarian Revival is Undermining Its Rise*, New York, Oxford University Press, 2018.
André MIQUEL, *L'Islam et sa civilisation*, Paris, Colin, 2003, 7e éd.
Simon S. MONTEFIORE, *World: A Family History of Humanity*, New York, Knopf Doubleday Publishing Group, 2023.
Enrico MORETTI, *The New Geography of Jobs*, Boston, First Mariner Books, 2013.
John Carl NELSON, *Historical atlas of the eight billion: World Population 3000 BCE to 2020*, Alexandria (Virginie), World History Maps, 2014.
Joseph NYE, *Bound to Lead. The Changing Nature of American Power*, New York, Basic Books, 1990.
Kenichi ŌMAE, *The Borderless World. Power and Strategy in the Interlinked Economy*, New York, Harper Business, 1999.
Elinor OSTROM, *Governing the Commons: The Evolution of Institutions for Collective Action*,

Cambridge, Cambridge University Press, 1990.
Pascal PICQ et Yves COPPENS (dirs), *Aux origines de l'humanité*, Paris, Fayard, 2001.
Thomas PIKETTY, *Le Capital au XXIe siècle*, Paris, Seuil, 2013.
Guillaume PITRON, *La Guerre des métaux rares*, Paris, Les liens qui libèrent, 2018.
Dominique PLIHON, *Le Nouveau Capitalisme*, Paris, La Découverte, « Repères », 2016.
Karl POLANYI, *La Grande Transformation. Aux origines politiques et économiques de notre temps* [1944], trad. Maurice Angeno et Catherine Malamoud, Paris, Gallimard, 1983.
Kenneth POMERANZ, *The Great Divergence*, Princeton, Princeton University Press, 2000.
Michael PORTER, *Competitive Strategy*, New York, The Free Press, 1980.
John RAWLS, *A Theory of Justice*, Cambridge, Harvard University Press, 1971.
James ROBINSON et Daron ACEMOGLU, *Why Nations Fail*, New York, Crown, 2011.
Pierre ROSANVALLON, *Histoire de l'État en France*, Paris, Seuil, 1993.
Nikolas ROSE, *The Politics of Life Itself: Biomedicine, Power, and Subjectivity in the Twenty-First Century*, Princeton University Press, 2007.
Olivier ROY, *L'Islam mondialisé*, Paris, Seuil, 2002.
Paul SAMUELSON et William NORDHAUS, *Économie*, Paris, Economica, 2000.
Saskia SASSEN, *La Ville globale. New York, Londres, Tokyo*, Paris, Descartes & Cie, 1996.
Alfred SAUVY, *La Machine et le chômage*, Paris, Dunod, 1979.
Leslie SKLAIR, *The Transnational Capitalist Class*, Oxford, Blackwell, 2001.
Joseph E. STIGLITZ, *Economics of the Public Sector*, New York, W.W. Norton, 1988.
Joseph E. STIGLITZ, *Globalization and Its Discontents*, New York, W.W. Norton, 2002.
Kaushik SUNDER RAJAN, *Biocapital: The Constitution of Postgenomic Life*, Duke University Press, 2006.
Alain SUPIOT, *Homo juridicus : Essai sur la fonction anthropologique du droit*, Paris, Seuil, 2005.
Cédric TELLENNE, *Géopolitique des énergies*, Paris, La Découverte, « Repères », 2021.
Alain TOURAINE, *Un nouveau paradigme. Pour comprendre le monde aujourd'hui*, Paris, Fayard, 2005.
Patrick VERLEY, *La Révolution industrielle*, Paris, Gallimard, « Folio Histoire », 1997.
Anne-Catherine WAGNER, *Les Classes sociales dans la mondialisation*, Paris, La Découverte, « Repères », 2007.
Immanuel WALLERSTEIN, *Le Système du monde du XVe siècle à nos jours*, Paris, Flammarion, 1992.
Jeffrey Gale WILLIAMSON, *Trade and Poverty. When the Third World Fell Behind*, Cambridge, MIT Press, 2011.

著者の作品

随筆

Modèles politiques, PUF, 1972.
Analyse économique de la vie politique, PUF, 1973, 2015.
L'Anti-économique (avec Marc Guillaume), PUF, 1975, 2015.
La Parole et l'Outil, PUF, 1976.
Bruits. Économie politique de la musique, PUF, 1977 ; Fayard, 2000.
La Nouvelle Économie française, Flammarion, 1978.
L'Ordre cannibale. Histoire de la médecine, Grasset, 1979.
Les Trois Mondes, Fayard, 1981.
Histoires du temps, Fayard, 1982.
La Figure de Fraser, Fayard, 1984.
Un homme d'influence, Fayard, 1985.
Au propre et au figuré. Histoire de la propriété, Fayard, 1988.
Lignes d'horizon, Fayard, 1990 ; Le Livre de poche, 2004.
1492, Fayard, 1991 ; Le Livre de poche, 2004.
Économie de l'Apocalypse, Fayard, 1994.
Chemins de sagesse. Traité du labyrinthe, Fayard, 1996 ; Le Livre de poche, 1998.
Fraternités. Une nouvelle utopie, Fayard, 1999 ; Le Livre de poche, 2002.
La Voie humaine, Fayard, 2000 ; Le Livre de poche, 2006.
Les Juifs, le Monde et l'Argent, Fayard, 2002 ; Le Livre de poche, 2007.
L'Homme nomade, Fayard, 2003.
Raison et Foi. Averroès, Maïmonide, Thomas d'Aquin, Bibliothèque nationale de France, 2004.
Une brève histoire de l'avenir, Fayard, 2006, 2009, 2015 ; Le Livre de poche, 2010, 2011.
L'Avenir du travail, avec P. Cahuc, F. Chérèque et J.-C. Javillier, Fayard, 2007.
La Crise, et après ?, Fayard, 2008 ; Le Livre de poche, 2009.
Le Sens des choses, avec Stéphanie Bonvicini et 32 auteurs, Robert Laffont, 2009 ; Le Livre de poche, 2010.
Survivre aux crises, Fayard, 2009 ; rééd. sous le titre *Sept Leçons de vie*, Le Livre de poche, 2010.
Tous ruinés dans dix ans ?, Fayard, 2010 ; Le Livre de poche, 2011.
Demain, qui gouvernera le monde ?, Fayard, 2011 ; Pluriel, 2012.
Candidats, répondez ! Précis à l'usage des électeurs, Fayard, 2012.
La Consolation, avec Stéphanie Bonvicini et 18 auteurs, Naïve, 2012.
Avec nous, après nous... Apprivoiser l'avenir, avec Shimon Peres, Fayard-Baker Street, 2013.
Histoire de la modernité. Comment l'humanité pense son avenir, Robert Laffont, 2013 ; Flammarion, 2015.
Urgences françaises, Fayard, « Pluriel », 2014.
Devenir soi, Fayard, « Pluriel », 2015, 2018.

Peut-on prévoir l'avenir ?, Fayard, 2015 ; « Pluriel », 2016.
100 jours pour que la France réussisse, Fayard, 2016.
Le Destin de l'Occident (avec Pierre-Henry Salfati), Fayard, 2016.
Vivement après-demain !, Fayard, 2016.
Histoires de la mer, « Pluriel », 2018.
Comment nous protéger des prochaines crises, Fayard, 2018 ; « Pluriel », 2020.
Les Chemins de l'essentiel, Fayard, « Pluriel », 2019.
Histoires de l'alimentation, Fayard, 2019.
L'Année des dupes. Alger, 1943, Fayard, 2019.
L'Économie de la vie, Fayard, 2020.
Histoires des médias : des signaux de fumée aux réseaux sociaux, et après, Fayard, 2021.
Il y aura d'autres jolis mois de mai, Fayard, 2021.
Faire réussir la France, 30 réformes majeures et 250 actions urgentes, Fayard, 2021.
Histoires et avenirs de l'éducation, Flammarion, 2022.

辞書

Dictionnaire du XXIe siècle, Fayard, 1998 ; Le Livre de poche, 2000.
Dictionnaire amoureux du judaïsme, Plon/Fayard, 2009 ; rééd. sous le titre *Petit Dictionnaire amoureux du judaïsme*, Pocket, 2014.

小説

La Vie éternelle, Fayard, 1989 ; Le Livre de poche, 1990.
Le Premier Jour après moi, Fayard, 1990 ; Le Livre de poche, 2004.
Il viendra, Fayard, 1994 ; Le Livre de poche, 1995.
Au-delà de nulle part, Fayard, 1997 ; Le Livre de poche, 1999.
La Femme du menteur, Fayard, 1999 ; Le Livre de poche, 2001.
Nouv'Elles, Fayard, 2002 ; Le Livre de poche, 2004.
La Confrérie des Éveillés, Fayard, 2004 ; Le Livre de poche, 2006.
Notre vie, disent-ils, Fayard, 2014 ; Le Livre de poche, 2016.
Premier Arrêt après la mort, Fayard, 2017 ; Le Livre de poche, 2018.
Meurtres, en toute intelligence, Fayard, 2018.
Le Livre de Raison, Fayard, 2022.

伝記

Siegmund Warburg, un homme d'influence, Fayard, 1985 ; Le Livre de poche, 1986.
Blaise Pascal ou le Génie français, Fayard, 2000 ; Le Livre de poche, 2002.
Karl Marx ou l'Esprit du monde, Fayard, 2005 ; Le Livre de poche, 2007.
Gândhî ou l'Éveil des humiliés, Fayard, 2007 ; Le Livre de poche, 2009.
Phares. 24 destins, Fayard, 2010 ; Le Livre de poche, 2012.
Les Penseurs du monde : Pascal, Marx, Gândhî, Robert Laffont, « Bouquins », 2012.

Diderot ou le Bonheur de penser, Fayard, 2012 ; « Pluriel », 2013.

演劇

Les Portes du Ciel, Fayard, 1999.
Du cristal à la fumée, Fayard, 2008.
Théâtre (réunissant *Les Portes du Ciel* et *Du Cristal à la fumée*, ainsi que *Il m'a demandé de l'attendre ici* et *Présents parallèles*), Fayard, 2016.

童話

Manuel, l'enfant-rêve (ill. par Philippe Druillet), Stock, 1994.

論文

Verbatim I, Fayard, 1993 ; Le Livre de poche, 1998 ; Robert Laffont, 2011.
Europe(s), Fayard, 1994 ; Le Livre de poche, 2002.
Verbatim II, Fayard, 1995 ; Le Livre de poche, 1998 ; Robert Laffont, 2011.
Verbatim III, Fayard, 1995 ; Le Livre de poche, 1998 ; Robert Laffont, 2011.
C'était François Mitterrand, Fayard, 2005 ; Le Livre de poche, 2007 ; Fayard-Le Nouvel Observateur, 2012 ; « Pluriel », 2016.
L'Intégrale des chroniques, vol. 1, L'Express éditions, 2011.
À tort et à raison. Entretiens avec Frédéric Taddeï, Éditions de L'Observatoire, 2020.

レポート

Pour un modèle européen d'enseignement supérieur, Stock, 1998.
L'Avenir du travail, Fayard-Institut Manpower, 2007.
300 décisions pour changer la France, rapport de la Commission pour la libération de la croissance française, XO-La Documentation française, 2008.
Paris et la Mer. La Seine est Capitale, Fayard, 2010.
Une ambition pour 10 ans, rapport de la Commission pour la libération de la croissance française, XO-La Documentation française, 2010.
Pour une économie positive, groupe de réflexion présidé par Jacques Attali, Fayard-La Documentation française, 2013.
Francophonie et Francophilie, moteurs de croissance durable, rapport à François Hollande, président de la République française, La Documentation française, 2014.
Vers une révolution positive, groupe de réflexion preside par Jacques Attali, Fayard, 2018.

美術書

Mémoire de sabliers. Collections, mode d'emploi, Éditions de l'Amateur, 1997.
Amours. Histoires des relations entre les hommes et les femmes (avec Stéphanie Bonvicini), Fayard, 2007 ; Le Livre de poche, 2010.